新版

動的平衡ダイアローグ

9人の先駆者と織りなす「知の対話集」

福岡伸一
Fukuoka Shin-Ichi

小学館新書

本書は二〇一四年二月に木楽舎より刊行された『動的平衡ダイアローグ』を新書化したものです。新書化にともない、元の文章に修正や加筆を行ったほか、新たな章（第1章）を追加しております。

プロローグ――秩序は守られるために、たえまなく壊されなければならない――

私は、尖った鉛筆で紙の上にくるりと丸い楕円《だえん》を描いてみせた。そして、若い学生たちに向かってこんなふうに問いかけてみた。

――ここに細胞があるとしよう。生きた細胞が一粒。では、いったいこの細胞のどこに生命が宿っているか、指し示すことができるかい。

一〇〇人の学生がいたとすれば、その一〇〇人ともが、そんなことは明らかです、ここです、と楕円の真ん中を指すことだろう。

でもそれは違う。細胞の生命は、細胞のなかにあるんじゃない。そこにあるのは細胞が囲い込んだ単なる液体だ。そして細胞の外側にあるのも、細胞が追い出した液体にすぎない。では細胞の生命はどこにあるといえるのか。それは、まさにここにある。

私は鉛筆の先を、先ほど一筆で描いた細い線の上にそっとおく。

生命の本質はその動きにある。生命は細胞の内にあるのではない。むろん生命は細胞の外にあるわけでもない。生命は、内と外の間、つまり境界線の上にある。

でも境界線——つまり細胞の内と外を仕切る細胞膜——そのものが生命だというわけでもない。生命は境界線上の動きにある。外側から物質とエネルギーと情報を選り分けながら取り込み、内側から溜まったイオンと老廃物とエントロピーを汲み出す、そのたえまのない動きのなかに、生命の本質がある。

細胞膜という存在そのものではなく、細胞膜という状態を考えること。構成要素ではなく、要素のありようによって何かを語ろうとすること。『動的平衡』（木楽舎、二〇〇九年。

二〇一七年小学館より新書化）、『動的平衡２』（木楽舎、二〇一一年。二〇一八年小学館より新書化）を通じて、私が語りたいと思ったものも、そういう「場」のことだった。

動的平衡という場においては、合成と分解、酸化と還元、エネルギー生産とエネルギー消費、コーディングとデコーディング、秩序の構築と無秩序の生成、そういった相反することが同時的に行われる。そこには明確な因果律がない。原因は結果となるが、結果もまた原因となる。そして同じ原因は二度と同じ結果を生み出すことはない。動的平衡という場においては、すべてが一回性の現象として生起する。その上で、そこには一定の平衡、一方向の反応とその逆反応の速度との間にバランスが生み出される。そのような動的なものとして生命を再定義したい。それが動的平衡である。

＊

ここでいま一度、動的平衡という考え方の成り立ちを概観しておくことは、私たちの対話を読んでいただく上で有用なリファレンスになるだろう。

生命とは何か？　それは自己複製するシステムである。二〇世紀半ば、DNAという自己複製分子の発見をもとに、私たちは生命をそのように定義した。螺旋《らせん》状に絡み合った二本のDNA鎖は他を相補的に複製しあうことによって、自らのコピーを生み出す。こうして極めて安定した形で情報がDNA分子の内部に保存される。これが生命の永続性を担保している。

しかし、私たちが、生物として自分の体を感じ、あるいは他の生物と触れ合ったとき、そこに生命を感じることができるのは、生命の第一義的な特徴として自己複製能を感じるからだろうか。おそらくそうではない。

自己複製が生命を特徴づけるポイントであることは確かではあるが、私たちの生命観には別の支えがある。柔らかさ、温度、揺らぎ、粒だち、可変性、回復性、脆弱《ぜいじゃく》さ、強靱《きょうじん》さ、形、色、流れ、渦、美しさ……私たちは、たとえ言葉にできなかったとしてもそれらが生命の重要な特性であることに気づいている。では、それらはいったい、生命の何に由来するのだろうか。

二〇世紀前半、まだＤＮＡの正体が明らかにされる前、一人のユダヤ人生化学者がいた。ルドルフ・シェーンハイマー。

彼は食物中に含まれる栄養素を同位体元素で標識し、それが生物の体内に入った後、どのように代謝され、エネルギーに変換されるかを調べようとした。彼は当初、栄養素は体内で燃焼され、結果的に二酸化炭素と水となって排泄《はいせつ》されるだろうと考えていた。しかし実験結果は驚くべきものだった。生物が食物として摂取した栄養素の大半は、他の分子の一部となったり、分解されて再合成されたりしながら、いったんは体の内部にとどまるものの、やがては体外に排出されていった。

つまり、外から来た栄養素は、生物の体のなかをまさにくまなく通り過ぎていったのである。しかし、通り過ぎたという表現は正確ではない。なぜなら、そこには物質が「通り過ぎる」べき入れ物があったわけではなく、ここで入れ物と呼んでいるもの自体を、通り過ぎつつある物質が、一時、かたちづくっていたにすぎないからである。つまりそこにあるのは、流れそのものでしかない。

私たちは、自分の表層、すなわち皮膚や爪や毛髪が絶えず新生しつつ古いものと置き換わっていることを実感できる。しかし、置き換わっているのは何も表層だけではないのである。体のありとあらゆる部位、それは臓器や組織だけでなく、一見、固定的な構造に見える骨や歯ですらもその内部ではたえまのない分解と合成が繰り返されている。

入れ替わっているのはタンパク質だけではない。貯蔵物と考えられていた体脂肪でさえもダイナミックな「流れ」のなかにあった。

シェーンハイマーは論文に記している。

「（エネルギーが必要な場合）摂取された脂肪のほとんどすべては燃焼され、ごくわずかだけが体内に蓄えられる、とわれわれは予想した。ところが、非常に驚くべきことに、動物は体重が減少しているときでさえ、消化・吸収された脂肪の大部分を体内に蓄積したのである」

それまでは、脂肪組織は余分のエネルギーを貯蔵する倉庫であると見なされていた。大量の仕入れがあったときはそこに蓄え、不足すれば搬出《はんしゅつ》する、と。同位体実験の結果はまったく違っていた。貯蔵庫の外で、需要と供給のバランスがとれているときでも、内部の在庫品は運び出され、一方で新しい品物を運び入れる。脂肪組織は驚くべき速さで、その中身を入れ替えながら、見かけ上、ためているふうをよそおっているのだ。すべての原子は生命体のなかを流れ、通り抜けているのである。

よく私たちは久しぶりに知人と遭遇したとき「お変わりありませんね」などと挨拶を交わすが、半年、あるいは一年ほど会わずにいれば、分子のレベルでは我々はすっかり入れ替わっていて、お変わりありまくりなのである。かつてあなたの一部であった原子や分子はもうすでにあなたの内部には存在しない。

肉体というものについて、私たちは自らの感覚として、外界と隔てられた個物としての実体があるように感じている。しかし、分子のレベルではその実感はまったく担保されていない。私たち生命体は、たまたまそこに密度が高まっている分子のゆるい「淀み」でしかない。しかも、それは高速で入れ替わっている。この流れ自体が「生きている」ということであり、常に分子を外部から与えないと、出ていく分子との収支が合わなくなる。それゆえに私たちは食べ続けなければならない。

シェーンハイマーは、この自らの実験結果をもとにこれを「身体構成成分の動的な状態」（The dynamic state of body constituents）と呼んだ。彼はこう述べている。

「生物が生きているかぎり、栄養学的要求とは無関係に、生体高分子も低分子代謝物質もともに変化して止《や》まない。生命とは代謝の持続的変化であり、この変化こそが生命の真の姿である」

*

宇宙の大原則として、万物はエントロピー（乱雑さ）が増大する方向に動く、というものがある。熱力学の第二法則だ。生命体とても例外ではない。エントロピー増大の法則は生物を構成する成分にも容赦なく降りかかる。高分子は酸化され分断される。集合体は離散し、反応は乱れる。タンパク質や脂質は損傷を受け変性する。しかし、もし、やがては崩壊する構成成分をあえて先回りして分解し、このような乱雑さが蓄積する速度よりも早く、常に再構築を行うことができれば、結果的にその仕組みは、増大するエントロピーを系の外部に捨てていることになる。

つまり、エントロピー増大の法則に抗う唯一の方法は、システムの耐久性と構造を強化することではなく、むしろその仕組み自体を流れのなかに置くことなのである。つまり流れこそが、生物の内部に必然的に発生するエントロピーを排出する機能を担っていることになるのだ。

私はここで、シェーンハイマーの発見した生命の動的な状態（dynamic state）という概念をさらに拡張し、とくに「秩序は守られるためにたえまなく壊されなければならない」ということ、つまり生命とは互いに相反する動きの上に成り立つ同時的な平衡＝バランスである、という点を強調する意味で、「動的平衡」という言葉でこれを表したいと考えた。この日本語に対応する英語は、dynamic equilibrium である。生命とは動的平衡《ダイナミック・イクイリブリアム》にある流れそのもののことである。

そして、私たちが棲《す》むこの環境もまた動的平衡の内にある。なぜなら、この世界は生物と生物の相互作用が織りなすより大きな動的平衡によって成り立っているからである。

動的平衡は生命観であるとともに、世界観でもある。動的平衡によって生命を再解釈することは、世界を再定義することでもある。近代の思考は、あまりにも要素還元論的に、世界を分解し、その組み立てとして機械論的に生命を、そして世界を捉えすぎてきた。アルゴリズム的な因果律として、世界の成り立ちを考えすぎてきた。その必然的な帰結として、私たちがどのようなリベンジを受けつつあるか、それは昨今、起こったさまざまな災害や事故のことに思いを馳せれば明らかである。動的平衡は、古くて新しい世界観であり、機械論的・因果律的な世界観に対するアンチテーゼ、あるいはアンチドート（解毒剤）としてである。

この本は、このコンセプトに賛同してくれた人たち、そして、世界をかたちづくる動的な特性——柔らかさ、温度、揺らぎ、粒だち、可変性、回復性、脆弱さ、強靱さ、形、色、流れ、渦、美しさ——をことさら愛する人たちとともに、世界のありようを、動的平衡の視点から論じ合った記録である。

名づけて動的平衡ダイアローグ。

新版　動的平衡ダイアローグ　9人の先駆者と織りなす「知の対話集」　目次

第1章

小泉今日子（歌手・俳優・プロデューサー）

アイドルのイメージから自由になったら世界が広がった

こいずみ・きょうこ

1966年神奈川県生まれ。82年「私の16才」で歌手デビュー。数々のヒット曲を放つ。俳優としても活躍し、ドラマ、映画、舞台に多数出演。文筆家としての評価も高く、2005年から10年間、読売新聞の読書委員を務め、17年には著書『黄色いマンション 黒い猫』にて第33回講談社エッセイ賞を受賞。15年「株式会社明後日」を立ち上げ、舞台、映像、音楽、出版などジャンルを問わずさまざまなエンターテインメント作品の企画、プロデュースを行っている。20年から23年までSpotifyオリジナル・ポッドキャスト番組『ホントのコイズミさん』のパーソナリティを務め毎週配信、21年には上田ケンジと音楽ユニット「黒猫同盟」を結成するなど、多角的に活動している。

撮影:田中良知

人間の体は蚊柱のようなもの

小泉　以前にも一度対談したことがありますよね。

福岡　ええ。あの対談は『エッジエフェクト（界面作用）　福岡伸一対談集』（朝日新聞出版）という本に収録されましたね。

小泉　あっ、『エッジエフェクト』、そうだ、そうだ。そのときに人間は蚊柱みたいだという お話が出て、それは納得がいくという話をしたんですよね。

福岡　そうです。人間の体はかちっとした個体みたいに思われているけれど、じつはたえまなく入れ替わっているんです。蚊柱のようなものです。蚊柱は柱みたいに見えますが、柱ではない。出ていく蚊がいれば入ってくる蚊もいて常に入れ替わっているんですね。

人間の体もじつは環境から絶えずエネルギーが流れ込んできて、やがてまたそれがどんどん環境に戻っていくということを繰り返していています。消化器の上皮細胞などはすごい速度で入れ替わっていて、二、三日で新しい細胞と古い細胞が入れ替わります。ウンチの主成分の一つはそういった古い細胞で、じつは自分自身（笑）。

小泉　そうか。そういうお話だったので、それはすごいなと。私はいつも自分自身に辻褄《つじつま》が合ってないと思ってたんですよ。

福岡　一貫性がないという意味ですか。

小泉　はい。昨日は「明日、ここに行こう」と思っていたけれど、今日起きたら「私、行きたくない」みたいに感じることがあって……。みんなはどうして行けるんだろうと思ってたんですよね。なので福岡先生に「毎日、違う自分だ」っていわれて、「そうか、それはすごく生きやすくなるぞ」と思ったんです（笑）。

福岡　そうなんですよ。だから、昨日の私と今日の私では、細胞レベルでは違うし、数カ月たつと、もうかなり違っている。一年前に私をつくっていた物質は、いま、ほとんど残っていない。骨とか歯みたいにかちっとしているところでも中身がすごい速度で入れ替わっているので別人といっていいわけですね。だから、久しぶりに会った人に「お久しぶりですね、まったくお変わりありませんね」などというけれど、生物学的には間違っているんです。

小泉　お変わりはあるんですね（笑）。

福岡　お変わりはありまくりですね（笑）。だから、約束なんか守らなくていいんです。

小泉　あはは（笑）。実際のところは、私も約束したらできるかぎりその場所に行こうとは思いますよ。でも、行きたくないと感じることがおかしなことではないと思えるだけで、気が晴れます。

「動的平衡」と新陳代謝

福岡　先日、元プロボクサーの村田諒太さん（注1）と対談しまして、その際に「動的平衡って、新陳代謝と同じことですか？」と訊かれました。で、それは違いますと答えたんです。単に入れ替わっているんじゃないんですね。古いものがいらなくなったから捨てられる、古い細胞が死んで新しい細胞ができるという、そういう、単なるチェンジじゃないんだと。

生命体は率先して、先回りして壊しているわけです。放っておくと壊れてしまうものを先回りして壊すことで崩壊を逃れている。「エントロピー増大の法則」という難しい言葉があります。簡単にいうと、万物はすべて、放っておくと拡散し、無秩序な方向に進み、その逆はないという法則。無生物はただそれに従っているだけなんだけれど、生命体は率先して自らの一部を壊すことで、その法則に抗っている。あらゆるものを、まだできたてほやほやで使えるにもかかわらず、どんどん壊して新しくつくり替えているんですね。それが私の生命論で、動的平衡の理論です。

小泉　よくわかります。

福岡　小泉さんって、自己模倣をしないで、いつも変わりますよね。アイドル時代も他のアイドルが聖子ちゃんカットなのに、いきなり短くしたり、刈り上げたりとか。常に自分のイメージを率先して破壊しています。そういう生き方の基本みたいなものは子どものころに身についたんですか。

小泉　そうですね。私の家族は両親と三人姉妹という構成で、私が一番下なんです。当時の私はあんまり自分の意志がなかったし、母のいうことを一番聞く子どもだったから、服なんかは母のいうとおりに着ていて、着せ替え人形みたいな……。

福岡　いつもミニスカートを、裾をすごく短くしてはかされていたと何かに書いてありましたね。

小泉　そうです、そうです。お洋服はほとんどおさがりだったんですけど、ただ、姉が着ていた服を私が着たときにもっと似合うようにするにはどうしたらいいかなとか、そんなふうに考えることが多かったです。両親も、人と同じでいることがいいことだという考えではなかったですね。

福岡　ご両親の影響も大きいのですね。

小泉　そうですね。そういえば、こんなことがありました。小さいときにすごく流行《はや》った筆箱があったんです。人気キャラクターの絵が描いてある筆箱でした。みんなが持っているからすごく欲しくなっちゃって、母に「買って」とお願いしたんです。そうしたら、母は「どうしてこれが欲しいの？」って訊ねるんです。「だって、みんなが持っててかわいいんだもん」っていったら、今度は「みんなが持っているから欲しいの？」と訊いてくる。「とにかく、欲しいの！」みたいに答えて、無理やり買ってもらったんですけど、すぐに飽きたんですよ。それで、なるほど、親はそういうことをいっていたんだなと理解して。それからは自分が心からかわいいと思うものを一生懸命探すようになりました。

福岡　なるほど。

小泉　考えることは子どものころから好きで、例えば、アイドルという仕事についても……。

福岡　一五歳からアイドルになったわけですよね。

小泉　はい。でも、アイドルになって少ししたら、「みんな、アイドル、アイドルっていってるけど、ちょっと待って。アイドルってどういう意味よ？」と考えるわけです。それで、辞書を引くとアイドルの項目には「偶像」って書いてある。今度は「偶像ってどういうこと？」みたいな感じで……。

福岡　偶像を破壊すべきだということになったわけだ。

小泉　そうです。アイドルが偶像という意味ならば、アイドルは別に厳密なジャンルではないんだなと。「アイドルって、かわいいお洋服を着て、こんな感じのポップスを歌って、こんな感じ」みたいなイメージにみんなとらわれすぎてないかと思って。そういうところから自由になったら、もうこっちのもんじゃないかという感じで（笑）。さまざまなジャンルの音楽をやってみるとか、いろんなタイプのお洋服を着るとか、そんな発想にどんどんつながるんです。だから、一度捉えた言葉に対して、自分が自分のルールを決めていくみたいなことがすごく好きで……、ずっと好きなのかもしれません。

福岡　イメージを壊してから、新しいものを創造していますよね。まさに「動的平衡」ですね。

動的平衡に気づいたきっかけ

福岡　福岡ハカセが最初に「動的平衡」に気がついたのは、少年時代にさかのぼるんです。そのときはまだ「動的平衡」という言葉は考えていなかったんですけどね。そのころ、どちらかというと私は内向的な少年で、人間の友だちがいなくて、虫が友だちでした。夏休みの自由研究は、チョウを見つけてきて、それを育てることをやっていました。

チョウって、小さな卵をミカンとかサンショウみたいな柑橘系などの葉っぱに産みつけるわけです。卵からかえった幼虫はそれを黙々と食べて育っていく。その幼虫はだんだん大きくなるんですけど、ある程度丸々と太ったら、サナギになりますね。でも、サナギのなかで何が起きているのかというのを少年時代のハカセは知りたかった。それで残酷なんだけど、開けて調べてみたら、真っ黒などろどろの液体となって溶けている状態でした。もう、幼虫がいったん完全に破壊されちゃってるの。

小泉　へえ、それは考えたこともなかったです。

福岡　いま考えると申し訳ないけれど、サナギを開けちゃうと、死んじゃうんです。もちろん開けないことがほとんどですよ。開けずに待っていると、その真っ黒などろどろの状態のなかからあんなきれいなチョウが生まれるんです。それで、創造に先立つ破壊があるということが自然なんだなっていうことを何となく感じたわけ。

そうした経験から、生物学を勉強したいなと思ったんですけれども、大学に入ってみると「チョウとかきれいな昆虫とかを追いかけている場合じゃありません」という状況でした。かわりに、分子生物学の潮流が満ちてきた時代だったのでそっちのほうに入っていっちゃったんです。

これは細胞のなかの遺伝子とかタンパク質というミクロなレベルでデジタル的に生命を解析する学問なんですね。遺伝子のことについては、その後、二〇年くらいでヒトゲノム計画というのが完成されて、遺伝子を端から端まで全部解析して、そこには細胞のなかで使われているタンパク質、二万種類ぐらいの設計図が全部描きこまれているということがわかったんです。

でも、生命のことについて何がわかったかというと「何もわからないっていうこと」がわかったんです。そこでやっぱり、生命というのを考えるときに大事なことは何かなといったら、破壊することというか、先回りして壊して、その後で新しいものをつくるところにあるんじゃないかなって。だから、単に入れ替わるという話じゃないんですね。

小泉 新陳代謝という意味での入れ替わりということではないんですね。

福岡 ええ。もっと積極的なものだということですね。

時間が感じられるのはどんなときか

福岡 今日はこの対談の前に、哲学の話をされてきたそうですね。

小泉 はい、永井玲衣さん（注2）という哲学者の方と哲学対話をしてきました。

福岡 最近注目の哲学者ですね。

小泉 そうです。永井玲衣さんと蟹ブックスさんという高円寺にある書店の店主の方と哲学の話をしてきました。永井さんがいつも行っている哲学対話ってどういうものなのか、読者の方に知らせるために三人で実際やってみようという話になって。

福岡　どんなふうに始めたんですか。

小泉　それぞれ、まず問いを二つずつつくらい出して、そのなかで何について話そうか相談して決めました。

私の場合、ずっと歌を歌ってきているわけですが、あるときからライブ会場などで、かかる声が少し変わったんです。以前は「かわいい！」とか、「キョンキョン！」とかという声が聞こえてきた。それが、あるころから、「若い！」という褒め言葉も聞こえてくるようになったんですね。でも、「若い！」っていわれて、喜んでいいのかどうなのかと考えてしまうんです。こんなことといって、なんか私、おかしいんですかね。

福岡　いやいや、おかしくないです。

小泉　ありがとうございます。でも、かといって、「老けたね」といわれたら、とても傷つくわけです。それで「若い」という言葉について、みんなで話し合いました。じつは私も、年上の方に会ったときに、「お若いですね」ってよくいっていたんですね。その言葉のなかには、尊敬の気持ちとか、すごいという思いも入っているんです。そういう気持ちは伝えたいけれども、若く見えるということを伝えるのはどうなのかなと思う。だから、何か別の言葉や、新しい表現を見つけられたらいいなと、そんな話になりました。

福岡　なるほど。哲学の大きな問いとして、時間とは何かという問題があります。若さや老いもある種の時間概念ですよね。

時間って、結局、時計やカレンダーがあるから何となくそれをよすがにして感じられるわけです。時計やカレンダー、あるいは何かの記録がなかったら、人間は古いことと新しいことの厳密な区別はつけられないんじゃないでしょうか。

例えば、昔あったことをいくつか思い出してみましょう。スマホの写真などに頼らずに、頭のなかで出来事を思い出しただけでは、五年前に起きたことと一〇年前に起きたことの、どちらが古いのかわからないですよね。

「いま、生きている」ということも、過去とか未来といった言葉があるから、一応、後悔したり、未来に対して不安に感じたりするけれども、生物は結局、いまこの瞬間しか生きられない。けれども、何となく時間のなかを泳いでるというか、航行しているような感覚がありますよね。それはいったいどこから来るのかなということを考えています。

小泉　なるほど。

福岡　ひょっとするとこうじゃないかと思っていることがあります。命がないものは、「形あるものは形がないものに崩れていく」というエントロピー増大の法則に従っているだけなんだけれど、そういうふうに生物が生きてしまうと、それはまったく動きがない列車に乗っているようなもので、自分が動いているということを感じないんじゃないか。

　では自分が動いてると感じるときはどんなときか。加速するときだと思います。エレベーターが上に行くか下に行くか確認せずに乗り込んだときに、上昇か下降かが感覚としてわかるのは、ふっとあがる、ふっと下がるときです。つまり、加速を感じるときです。

小泉　たしかにそうですね。

福岡　それでは、時間に対して加速を感じるのはどんなときか。それは、じつは率先して自分を壊しているときではないか。エントロピーの法則で、崩壊するよりも先回りして壊しているから時間が流れるということ、つまり時間が生み出されているということがわかるんじゃないかなと思うんです。だから、小泉さんが先ほどおっしゃった「イメージを常に壊している」ときは時間に対して加速しているときです。まあ、生き急いでるともいえるわけですが（笑）。

過去と未来もいま、つくられている

小泉　若いころに時間について考えたことがあります。楽しい時間は一時間あっても二〇分くらいにしか感じないなって。

福岡　あっという間ですよね。

小泉　逆につまらない時間って、一時間が二時間、三時間くらいにも感じてしまいます。

福岡　そうそう。だから、待ち時間なんて長く感じられて……。

小泉　そうなんですよね。だから、「楽しい時間を増やして、調整しよう」と思っていた時期があるんですよ。

福岡　ああ、わかりますね。

小泉　楽しい時間が多ければ多いほど、自分の時間が貯金できるみたいな感覚があって、歳をとらないみたいに感じたこともありました。それから、過去と未来に関しては、過去が後ろにあって未来が前にあると思っているから、面倒くさい気分になるんじゃないかと考えたことがあって。前後ではなくて横にあると思ったらどうだろうと。

福岡　なるほど。

小泉　過去や未来がぱあーっときれいに並んで横にあって、私が一歩歩くと、過去や未来もみんな一歩ぴょーんって歩くみたいな、そういうふうに捉えたらすごく楽しくなるんじゃないか、なんて考えていました。

福岡　過去と未来と一緒に歩くということですね。

小泉　そうです、そうです。

福岡　先ほどお話したような、自然に壊れる前に自ら壊すということは、未来を先取りして時間を生み出すということですが、じつは過去も巻き返しているということです。多くの人は「現在」を点みたいに感じていると思いますが、未来と過去を含めた、もうちょっと厚みがあるものとして捉えるべきではないかと思います。

福岡　『別冊太陽　小泉今日子　そして、今日のわたし』（平凡社）に収録されている「スナック想い出」という書き下ろしエッセイ、すてきでした。私は小泉さんに「ぜひ小説を書いてください」と昔からいっていますよね。

小泉　そうですね。あれは、何となく練習のつもりで書いたんです。

福岡　練習なんですね。

小泉　ええ。でも、まったく上手に書けなかったと思ってます。

福岡　いえ、いえ、ぜひ一度書いてください。必ず書けますから（笑）。

思い出に関していいますと、思い出や記憶というものは頭のなかにビデオテープとかハードディスクがあって、それを読み出しているんじゃないんです。あらゆる記憶がいま生成されているんです。科学の世界でも、記憶というものはいまつくられたものなんだという考え方になっています。

小泉　そうなんですね。

福岡　ええ。ネズミを使った実験の話をしましょう。ネズミにあるものを見せると、ある特定の記憶を思い出します。昔は脳のなかのある特定の細胞が、ある特定の記憶と結びついていて、その細胞にピッピッと電気が通ると、その記憶が呼び出されるというふうに思われていたんですね。けれども現在では、同じことを思い出しているのに脳のなかの違う場所に電気が通ることがわかっています。その都度その都度、毎回違うのです。ネズミの実験でわかるのは、同じ記憶でも毎回違う場所で細胞が活動して、（記憶が）立ち上がってまた消えていっているということです。だから、本当に約束なんか守らなくてもいいのです（笑）。

小泉　とってもすてきですね（笑）。

福岡　そうです。過去も未来もいま生成されているんだと考えると、未来を心配したり、過去を悔んだりする必要もない。そう考えれば、生きることも死ぬことも大したことじゃないという感じになりませんか。

小泉　そうなんですよね。私は生きることと死ぬことって、あまり違うことと考えていないところがあります。

福岡　そうですね。私は生と死についてこんなふうに考えています。あらゆることが川のように流れている。生命は川の表面の光のように現れては消えていき、また現れては消えていく。また現れるということは、全体としてはあまり変わっていないともいえる。その流れのなかで個々の生命は一瞬一瞬、有限のものとして存在する。生命は常に死と隣り合わせで、死を個別に見れば悲しいことであるけれども、生と死を三八億年の生命の流れ全体で見たら、まあ、本当にピカピカって、何かが点滅してるだけなんじゃないかなと。そんなふうに捉えています。

小泉　ええ、私もそう思います。

性別を超える

福岡　この間、小泉さんが出演してプロデュースもされた舞台『ピエタ』（注3）を見せていただきました。

小泉　ご覧くださって、ありがとうございます。

福岡　あの作品は、ヴィヴァルディの時代の女性たちの群像劇ですけれども、小泉さんはあの物語のどこに惹《ひ》かれたんですか。

小泉　私が原作の『ピエタ』を読んだのは、小説のなかの女性たちと同世代の四〇代のときなんです。そのころ、自身を振り返ったことがあって。大変なこともありましたが、自分が自分として大事にしていることを変わらずに持ってやってこれたのは、やっぱり、少女のときにきれいだと思ったものとか、すてきだと感じたものとか、そういうものをちゃんと大事にできているからだなって思ったんです。仕事を一五歳から始めて、ちゃんと歩いてこれたなって感じました。この物語にも、そういったものにすごく励まされたり、応援されたりして生きた女性たちが描かれているので、読んでいて「そうなの、そうなの！」って感じることが多くて、とても感動したんです。

福岡 なるほど。そういえば、劇中に出てくる、詩につづられたメッセージがありますね。

小泉 「むすめたち、よりよく生きよ」ですね。

福岡 ああ、そうです。「むすめたち、よりよく生きよ」の「よりよく」というところは、「子ども時代に大切だと思ったことを大事にして生きよ」というメッセージとして受け止めていいんですね。

小泉 そうですね。大人になると、そういう娘時代の自分を思い出せなくなってしまうことがあると思うんですよね。年齢を重ねた方で、いま、ここにいる現実がすごく重たいとかつらいとか思いながら生きている人もいっぱいいるだろうと思います。そういう方たちに、「娘のときにきれいだった、きれいだと思ったものを思い出してね」というメッセージを伝えたいと思いました。

福岡　なるほど。カズオ・イシグロさんの『わたしを離さないで』という作品をお読みになったことはありますか。

小泉　本は持っているんですけど、何ページか読んだだけで、読み終えていないんですよ。

福岡　そうでしたか。『ピエタ』にも通じるところがあって、孤児院が舞台なんです。

小泉　そうですね。

福岡　で、その人たちはじつは臓器移植のためのクローンとして育てられてるということがだんだんわかってくるという、まあ、近未来小説なんです。でも、その謎解き自体が小説の中心ではないんです。自分の運命がある種、絶望的な未来しかないときに、自分の生きるよすがどこにあるかと考えるわけです。そうすると、ヘールシャムという孤児院のなかで友だちたちと楽しい時代、時間を過ごしたっていう思い出、あるいは、きれいな空を見上げたり、庭に咲く花を見たりしたときの気持ちなんだと。そういう気持ちを大切にして生きるということにおいては、別に普通の人とクローンとして生まれた人とは変わりがないじゃないかというテーマなんですよね。だから、通じるなって思いました。『ピエタ』は登場人物が全員女性ですが、実際に舞台をつくっている人もみんな女性なんですか。

小泉　はい。

福岡　『ピエタ』は見方によっては、フェミニズム的な内容と取れなくもないですよね。

小泉　そうですね。

福岡　だけど、小泉さんは、ある種、女性のロールモデルとしてずっとやってきたわけですけれども、そのなかに男たちの愚かさに対する呪詛《じゅそ》みたいなのはまったくないですよね。

小泉　ええ、ないです。別に男性が愚かだとも思っていませんし……。

福岡　でも、一部の女性には、「男は愚かだし、劣っているからダメなんだ」と考えている人もいるようです。そういう考え方にならないのはなぜなのかなと思いましてね。

小泉　もちろん、女性が生きにくい社会というのはまだあるでしょうし、多くの女性も感じていることだと思います。男性のある一部の人たちがフェミニズムに対して「もう、いいよ」と感じているだろうということも理解できます。

でも、私はもともと男とか女とかいうのをやめようと思っていたんですよ。女の子のアイドルって、男の人たちから性的対象みたいに思われるわけですよね。例えば水着についても、水着を着るのは別にいいけれど、それが性的対象として受けとられていると思うとすごく気持ち悪いと感じたんですね。

だから、その感情を超えるにはどうしたらいいかと考えたんです。男の子とか女の子とか関係なくて、かっこいいとか面白いとかかわいいとか、そういうところに持っていくにはどうしたらいいんだろうって。それで性別を超えればいいと思って、それからは髪の毛を短く切ったり、メンズの洋服を着たりといったようなことをしました。例えば、ミニスカートを男の子に向けてはいたらこういうコーディネートになるけど、男の子に向けなかったらコーディネートはまったく違うようなとか、そういうことをいつも考えていましたね。

福岡　なるほど。そうだったんですね。

小泉　でも、『ピエタ』の世界が持っている、ちょっとシスターフッド（注4）的な、そういうことは普通に生きているなかでもよく感じることです。家族とか親戚とか、そういうなかにいると、その世界もすごく好きだし、女性が何かあったときにぱっと集まって、ぱっと動くみたいな感じもとても好きだし、自分もそういう人でありたいと思うけれど、男の人に対してどうのこうのっていう感覚はないですね。

福岡　なるほど。それは『ピエタ』という作品を成功させている要素だと思います。

小泉　本当ですか。

福岡　ええ。女性による女性向けの群像劇となると、男性に対する呪詛のようなものを感じる作品もあります。ですが、それを超えてかっこよくみんな前を向いて終わってるじゃないですか。これは素晴らしいなと感じました。その背景はどういうところにあるのかなと思ったんですけど、男と女を超えるという課題をずっと若いころから考えていたということなんですね。

小泉　ええ、そうですね。考えていました。そういうフェミニズムの考えを作品にするときって、やっぱり、男性との対立になってしまうことが多いんですよね。『あのこは貴族』という山内マリコさんの小説があって、映画化もされているんですけど、女同士も別に争わないし、映画では男性も大変だよねっていうことをちゃんと描いているんです。すごくうまく描いて成功させていて、感動します。

福岡　なるほど。

かつてオスは存在しなかった

小泉　動物には、オスとメスがいますけど、その種類によって子育てをオスがするとか、役割が決まっていますよね。

福岡　ええ、決まっていますけど、柔軟に変わる場合もあります。アニメ映画で『ファインディング・ニモ』という作品がありますよね。

小泉　ええ、ニモ。

福岡　あの作品はカクレクマノミという魚の家族の物語で、お父さんとお母さんがいたんですね。だけど、お母さんが産卵後に死んでしまって、父子で頑張っていたのに、息子がさらわれてしまう。それでお父さんが必死になって息子を助け出すという物語になっているんですけど、自然界ではまったく成り立たないストーリーです。

カクレクマノミのオスとメスと幼魚がいたとします。この幼魚はオスとメスの子どもではありません。カクレクマノミの家族に見えるものは皆、このような形です。長くなるので詳しい説明は省きますが、興味深い生態です。このメスがいなくなってどうなるかというと、オスがメスに性転換します。幼魚はオスでもメスでもない段階ですが、オスがいなくなると、成熟した後でオスになり、新たなペアが生まれるのです。このように、人間よりもうちょっと先に地球に現れた生物たちに関していうと、オスとメスは自由に転換できるケースがあるのです。

それから、そもそも、生命が地球に誕生してから最初の二〇億年くらいの間、性の分化がなかった、つまり、オスなんかはいなかったんです。

小泉　ふーん。

福岡　オスがいなかったわけですから、メスが誰の力も借りずに娘を産んで、それでまったく問題なかったわけですけど、そうすると縦糸しかできないから、横糸をどうやってつなぎ合わせるか、あみだくじの情報を左右に振り分けるためにどうしたらいいかということで、協力者をつくろうということになってオスが生みだされたのです。

そう考えると、メスとオスはもともと仲良くすべきパートナーだったのに、いつの間にか対立構造になっちゃったんですよね。

進化を長い目で見ると、弱肉強食、優勝劣敗みたいな闘争の歴史として見ることができますし、利己的遺伝子論みたいに、とにかく遺伝子が増えることだけをやって、その成功者が生き残ったように捉えることもできます。ですが、じつはそうではなくて、利己的より利他的にふるまったときのほうが、進化が加速することもあるのです。

細胞は最初、すごく単純な構造だったのに、ミトコンドリアとか葉緑体とか、そういう複雑な構造ができたのは、大きい細胞と小さい細胞が出会って、一緒に住もうということになって協力したから複雑化したわけです。また、個々にバラバラに生活していた細胞が集団を組んで分業したから多細胞生物が生まれたわけだし、性の役割もメスだけでやっていたときに、遺伝子を相互に連絡するためにオスが生まれたので、常に利他的な共生が起きたときほど、生命は大きく進化してきたんですね。

小泉 それでは、ずっと未来に行ったら、人間も……。

福岡 変わるでしょうね。

小泉 性も……。

福岡　ええ。性が不安定になる可能性もあるし……。

小泉　性を変えられる、性が変わっていくと考えられるなら、トランスジェンダーといわれている人たちは、進化の過程のなかでは、すごく先に進んでいる人たちじゃないですか。

福岡　そうです、そうです。人間は進化の頂点とか、進化のゴールにいると考えている人が多いと思うけれど、まったくそんなことはなくて、いまは進化の途中なんですね。

それから、地球史全体を見ると、急速に発展した生物は急速にシュリンクしています。三葉虫は数億年の間、世界じゅうの海にいたのに急にいなくなってしまったし、アンモナイトという、巻貝みたいなのも……。

小泉　化石の標本で見るやつですね。

福岡　そう、そう。あれも、もう、地球上に大繁栄していたのに急速にいなくなってしまった。だから、人間もこれだけ急速に増えたら、急速に何らかの理由で滅びるかもしれない。そして、三億年くらい先の地球を支配する生物が地層を掘って、人間の化石が出てきたら、「ああ、これがいまから三億年くらい前に栄えていた愚かな生物か」みたいなことになると思いますね。だから、それくらい長いスパンで考えると、人間の愚かさというのも、まあ、笑えるかなっていうふうにも思えるんですよね（笑）。

注1：【村田諒太】一九八六〜。元プロボクサー。ロンドンオリンピックのボクシングミドル級で金メダルを獲得。その後、WBA世界ミドル級スーパー王者に。日本人初の五輪金メダリストの世界王者となる。二〇二三年三月、現役を引退。

注2：【永井玲衣】一九九一〜。思考力養成を専門にする哲学研究者。学校、企業、美術館などで哲学対話を行っている。著書に『水中の哲学者たち』（晶文社）がある。

注3：【ピエタ】原作は直木賞作家・大島真寿美の小説。一八世紀のヴェネツィアを舞台に、作曲家ヴィヴァルディに合奏・合唱を指導されていた女性たちの交流と絆を描く。二〇一二年の本屋大賞第三位を獲得。ポプラ文庫に収められている。舞台『ピエタ』は二〇二三年、小泉今日子、石田ひかり、峯村リエほかが出演。プロデューサーも小泉今日子が務めた。公演は東京・本多劇場ほか全国

三カ所で行われた。

注4：【シスターフッド】英語のsisterhoodより。狭義では、姉妹や姉妹関係、（共通の目的を持った）女性の団体などを指す。フェミニズムにおいては、「固く結ばれた女性間の連帯」を意味する。

第2章

カズオ・イシグロ（作家）

記憶とは、死に対する部分的な勝利なのです

カズオ・イシグロ

1954年長崎県生まれ。60年、5歳で渡英。以後、日本とイギリスの二つの文化を背景に育つ。ケント大学で英文学、イースト・アングリア大学大学院で創作を学ぶ。ミュージシャンを目指した後、ソーシャルワーカーとして働きながら執筆を開始。82年、『遠い山なみの光』で王立文学協会賞、86年、『浮世の画家』でウィットブレッド賞受賞。89年には『日の名残り』でイギリス文学最高峰のブッカー賞受賞。2005年に発表した『わたしを離さないで』は世界的ベストセラーに。17年、ノーベル文学賞受賞。黒澤明監督の映画『生きる』をリメイクした22年のイギリス映画『生きる LIVING』では脚本を担当し、話題となった。他の作品に『わたしたちが孤児だったころ』『夜想曲集　音楽と夕暮れをめぐる五つの物語』『忘れられた巨人』『クララとお日さま』など。

撮影:加治枝里子

人間の細部に目を凝らす

福岡　お会いできて光栄です。

イシグロ　こちらこそ、おいでいただいてありがとうございます。

福岡　私は分子生物学者です。科学者にインタビューされるのは、ちょっと奇妙な感じがするかもしれませんね。

イシグロ　いえいえ、そんなことはありません。

福岡　あなたの小説のファンとして最初に、二〇一〇年に公開された映画『わたしを離さないで』についてうかがわせてください。小説が映画化される場合に、私はがっかりさせられることが多いんです。でも、あの映画は違いました。イシグロさんはどうご覧になりましたか。

イシグロ　とても満足しています。自ら製作責任者として加わり、いわば親のような気持ちで映画が成長するのを最初から最後まで見届けてきました。ですから、この映画には親しみを感じていますし、とても誇らしく思っています。また、原作に忠実に映画をつくってくれた優れた製作陣にも、心から感謝しています。おっしゃるように、小説の映画化に失望することは少なくありませんが、なかには原作に忠実すぎて失敗する例もありますね。一方で、鑑賞する側も、有名な文学作品や最近出版された小説をもとにした映画の、洗練された観方をまだ身につけていないのかもしれません。

福岡　『わたしを離さないで』もそうですけれど、イシグロさんの小説を拝読すると、想像力の及ぶ範囲が、われわれ科学者のそれをはるかに超えていることに驚かされます。さらにもう一つ、私がとくに心を動かされるのは、表現の解像度が非常に高いことです。ある種の極限状態、あるいは極めて制限された状況にある誰かを救うことにおいて、イシグロさんの精妙な表現力は、私たち科学者がもつ力を凌駕《りょうが》している。いったいどうやって、このようなスタイルを身につけられたんですか。

イシグロ　それは褒めすぎではないでしょうか。小説家が、科学者より大きな力や洞察力をもっているとは思いません。明晰《めいせき》な科学者たちが考えてきたことを、自分が考えられるとも思えない。小説家と科学者では取り組んでいることが違います。科学者たちは私たちのためにこの世界のありようを読み解いてくれますが、小説家の仕事はずっと控えめです。

とはいえ、とても重要ではあるのですが。私たちの目的は、この世界で生きる人間の感情、あるいは感情的な体験について伝えること。そして、読者に対し、「これはあなたの感情でもあるのでは？　人間なら誰もが感じる普遍的な気持ちではないですか？」と問いかけることです。しかし、その「世界」とは、あなたがた科学者によって明らかにされたものなんです。

福岡　おっしゃることはよくわかります。ただ、私は、イシグロさんの、ほとんど微視的ともいえる言葉の使い方に魅了されます。それはまるで、昆虫学者が小さな虫を解剖して細部を探ったり、かすかな変異の兆しを観察したりしているような印象を受けるんです。

イシグロ　そこには確かに類似点があるでしょうね。普通の人は日々を送るのに忙しく、立ち止まって小さな昆虫を顕微鏡にのせてみる余裕はありません。しかし小説家は、人間の経験の細部にまで目を凝らす必要があります。私に特殊な力があるとは思いませんが、小説家であるために、少なくともそうした時間と機会は与えられています。

その意味で、私は確かに「顕微鏡」をもっています。それを使って人間を眺めることが、私の役目なのです。

科学者は「Why」に答えられない

福岡　科学と文学の相補性について考えたとき、私は、二つの問いを前提にできるように思うんです。一つは「Why（なぜ）」という問いです。なぜ私たちは存在するのか、なぜここにいるのか、なぜ生きているのか。われわれ科学者、とりわけ生物学者は、この「Why」に直接答えることができません。その代わり、われわれはもう一つの問い、「How（どのように）」を説明します。生物はどのように代謝するのか、癌《がん》はどのように始まるのか。これが科学の限界であり、同時に科学の力の源でもあるわけです。

イシグロさんの小説を拝読していますと、そこにある存在をありのままに受け入れる、つまり「How」を丁寧に記述しているようでいて、終わりまで読むと、結果的に「Why」に対する答えが示される、それによって私たちを勇気づけてくれているように思えます。非常に抑制の利いた表現方法ではありますが、結果としてそういう効果を生み出しているように思えるんです。

イシグロ　それもまた、褒めすぎではないでしょうか。「Why」と「How」の問いですが、哲学が生まれたころ、芸術と科学は分離していませんでしたよね。

福岡　まさにそのとおりです。

イシグロ　古代ギリシャ人にとって、哲学は科学の研究をも含んでいた。それは、「How」への答え、つまり、あるものが「どのようにあるか」を知らない限り、「なぜそうなのか」と問うことはできないとわかっていたからではないでしょうか。「人間はなぜ存在するのか」「人生の目的とは何か」といった大きな問いも同じです。私たちがこの宇宙にどのように適応しているのかを知らずに、それらの答えを得ることはできません。

例えば、人類が格闘してきた「神は存在するのか」という問いへの答えは、つい最近まで常に「イエス」でした。そして、その仮定のもとに、多くの「Why」が問われてきた。いまも世界各地で宗教は強力な存在ですが、われわれの多くは、「神はいない」と考えるようになり、「How」への説明を科学に求めるようになりました。少し前にはダーウィンやフロイトといった科学者が――フロイトが科学者であればの話ですが――いくつかの重要な「How」に答えようとしてきたし、それによっていくらかは、「Why」と問いやすくなったように思います。いずれにせよ、「How」に答えることによって、初めて「Why」

への答えもはっきりしてくるように思えるのです。

福岡　私もまったく同感です。「How（どのように）」の問いの答えがあって初めて「Why（なぜ）」に答えることができる、ということがとても重要なポイントであると、改めて気づかされました。

「私の日本」を永遠に固定する

福岡　ところで、ご著書に掲載されている著者についての解説によると、イシグロさんのお父様は海洋学者だそうですね。海洋生物学のようなお仕事でしょうか。

イシグロ　はい。父は二〇〇七年に亡くなりましたけれど、長く海洋学者として働いていました。生物学ではなく気象関係です。イギリスに渡る前に勤めていたのは、長崎の海洋気象台です。物理学的研究が専門で、ものの考え方はまさに科学者そのものでした。同時に熱心な音楽家でもあった。いつもピアノを弾いていて、子どものころはよくその音で起こされたものです。

福岡　それは面白いお話です。お父様はピアノでどんな曲を弾かれていたんですか。

イシグロ　バッハ、ショパン、ベートーベン。チャイコフスキーも好きでした。自分で作曲もしたんです。長崎の気象台に勤めていたときは、気象台のテーマ曲もつくっています。確かごく最近までその曲が使われていたはずです。

福岡　音楽は、お父様にとって趣味以上のものだったわけですね。ものの考え方について、お父様から学ばれたことはありますか。

イシグロ　多くを学んだと思います。ただし、私には科学的な頭脳はありませんから、父の仕事の話は理解できませんでした。学んだのはむしろ人生にどう対処するか、距離を置いて人生を眺める方法です。見慣れたものを、少し離れた場所から見つめ直してみる。別の惑星から訪れた人のように、いくぶん冷ややかな眼差しで。じつは『わたしを離さないで』にも、この手法を使っています。人間の寿命、老いや死。クローン人間が登場する物語を通して、それら身近な問題にまったく新しい見方を示そうとしたんです。

福岡　『わたしを離さないで』は、過去の記憶となんとか折り合いをつけようとする若者が、最終的にはその記憶に救われるという設定ですね。「記憶」は、イシグロさんの小説の最も重要なテーマではないでしょうか。イシグロさんは、これまでに繰り返し記憶を取り上げてこられました。『遠い山なみの光』では、個人の封じ込められた記憶と、それが変容するさまが、『日の名残り』では、辛い記憶と正直に向き合うことで人は救われることが描かれています。さらに近作の『夜想曲集』は、『わたしを離さないで』の主人公キャシーが繰り返し聞いた「夜に聞く歌（Song After Dark）」を思い起こさせます。

私は生物学者として、このことに強く惹《ひ》かれます。というのも、ごく最近になって、生命の儚《はかな》さや万物は流転することが生物学でも再発見されました。ちなみに、ごく最近、というのは科学史の言葉では七、八〇年ほど前を指します。ナチス・ドイツから逃れた経験をもつルドルフ・シェーンハイマーというユダヤ人の生化学者が、同位体を用いて食物にラベリングを行い、それらが生物の体内でどのように消費・交換されているか、その行方を追跡したんです。その結果、私たちの体は、分子や細胞レベルで絶えず分解され、入れ替わり、再構成されていることがわかりました。私たちの体は、いわば、それを構成する要素が生み出す「流れ」そのものです。一定の期間で見れば固体より液体に近く、さらに長い目で見れば、要素が相互に作用しあう気体のようなものに過ぎない。私はこのことから、生命は「動的な平衡状態にあるシステム」だと考えています。

もしも生命がそのように肉体にもとづくものでないなら、私たちはいったいどうやって「私は私である」というアイデンティティを保つことができるのでしょうか。何を根拠に、自分が一貫した存在だといえるのか。それを支えるのが「記憶」なのではないでしょうか。私が記憶に惹かれるのはこのためです。

イシグロ　おっしゃるとおり、記憶は私にとって常に重要なテーマです。作家生活の初めのころはとくにそうでした。おそらくそれは、私自身の日本についての記憶のせいだと思います。

私は長崎で生まれ、五歳のとき両親に連れられてイギリスに渡りました。その後、青年へと成長するなかで、私は、私の思う「日本」、自分が「日本」と呼んでいた大切な場所が、現実には存在しないことに気づいたんです。それは私の記憶と想像力、さらには本や映画の影響から生み出された、頭のなかの架空の場所、個人的な場所だったのです。そして、自分が成長するにつれ、この「私の日本」はしだいに色褪《いろあ》せつつありました。

あなたは肉体が流転するとおっしゃいましたが、記憶も例外ではありません。私にとって小説を書くことは、薄れゆく記憶を永遠に固定する手段でした。私は、「私の日本」が完全に記憶から消え去ってしまう前に、まるで写真に撮るようにそれを残したいと願ったんです。それまで目指していたミュージシャンから、突然、小説家へ転向したのもそのせいです。同時に、自分以外の人々と記憶との関係にも関心を寄せるようになりました。それは、いまあなたがいわれたようなことを無意識に感じていたからではないでしょうか。過去の自分といまの自分の連続性を保証する数少ない要素の一つが記憶だということについて、これほど見事な表現を聞いたことがありません。

福岡　ありがとうございます。

記憶も常に書き換えられる

イシグロ　妻がよく、「もっと記憶力が良ければいいのに」と嘆くんです。他愛《たわい》のないこと、例えば学生時代に好きだったレストランの名前が思い出せなくて歯がゆいと。そして、こういいます。「もしも何も覚えていられないとしたら、私は別人になってしまう。いったいどこに過去の自分とのつながりがあるの」と。

福岡　実際、私たちの体を構成する要素は、ほぼ一年で完全に入れ替わります。物質的には、私たちは一年で別人になるわけです。このことは、約束を破ったり、嘘をつくときの、合理的かつ生物学的な理由づけにもなります。借りたお金は返さなくていい、借りたときといまの自分は別人だから、というふうに（笑）。

イシグロ　それで話が済めば、じつに便利でしょうね（笑）。

福岡　こうした混乱を避けるために、人間は法律や契約、取引などをつくったんだと思います。まさに、記憶を固定するために。私たちは、記憶の一貫性によって自らの連続性を支えているわけです。

イシグロ　ただ、問題は、記憶は簡単に操作できるということですね。

福岡　そのとおりです。記憶もまた、常につくり直され、書き換えられ、再構成されています。もちろん、実体にもとづくものではない。ある種の幻影といえます。

イシグロ　記憶とは、法廷における頼りにならない証人のようなものです。人は、自分の必要に応じてものごとを記憶します。そこには、その人のそのときの状態が反映されている。私が作家として心を奪われるのはこの点です。私たちは自分の心を検閲し、不快な記憶を見つけては、それから逃れたり、心地よいものに修正しようとしたりします。同時に、おそらくはアイデンティティを求めるがゆえに、過去に対してできるだけ正直でありたいとも願う。一方では忘れようとし、他方では忘れまいとする。そこに葛藤《かっとう》が生まれます。私は小説のなかでしばしば、登場人物が人生の重要な時期にこの葛藤と向き合う様子を描いています。

福岡　人が「これは私の子どものころの美しい思い出です」などという場合、それは操作された記憶であると思うんです。繰り返し想い起こされることでペットのように飼い慣らされ、より美しいものになるよう無意識に書き換えられた記憶であると。イシグロさんの小説にも、それに似たモチーフのエピソードや物語が見受けられますね。

イシグロ　私はとくに、ノスタルジーを掻き立てる幼少期の記憶に惹かれるんです。ノスタルジーはとても興味深い感情です。昔の楽しかった日々を想うという単純な意味にはとどまりません。そして、私たちはそれに十分な敬意を払ってこなかったように思うんです。

私たちの多くは、安全な「気泡」のようなもののなかで守られて育ちますよね。とくに日本やイギリスのような国では。大人はそこに悪いニュースが流れ込まないよう気遣い、ときに嘘をつきながら、この世界がディズニー映画に描かれているような美しい場所であると装います。子どもがそこから現実に向かってゆっくりと歩き出すなら、問題はないのかもしれない。しかし、多くの場合、大人へと成長する過程で失望を覚えます。なぜなら、彼らは世界がもっと優しい場所だと信じていたころのことを覚えているから。ノスタルジーとは、幸せだった楽しい時間を想起するだけでなく、世界が善意にあふれた人々によるもっと美しい場所だと確信していたころを思い出すことでもあります。それは、決して存在しないとわかっている、ある理想的な場所の記憶なんです。

福岡　いまいわれた、大人になるということ、つまり子どもから大人への旅路については、イシグロさんの小説のもう一つの重要なテーマではないですか。人は通常、大人になることを進化や発展、達成と捉えます。けれど、あなたの小説はまったく異なることを伝えている。それはむしろ、ある種の力を失うこと、ある種の劣化、あるいは辛い記憶と向き合い、それと折り合いをつけることだと……。

イシグロ　そうですね、私自身はそういう捉え方をしたことがありませんでした。私にとって大人になるとは、いまいったように、世界が教えられてきたような優しく素晴らしい場所ではないと気づくことです。

私たちはしばしば、ものごとの意味を理解する前に良からぬ現実を知ります。死とは何かを知る前に、死があることを知る。世界にはびこる悪について、その意味がわかるほど成熟していないうちに、その存在を知ります。それらの名前はいえても、心の底から理解してはいない。そして、口当たりのいい小説や映画が、ときに死や悪についての人の理解を幼稚なレベルにとどまらせてしまいます。悪者がやっつけられるのは、何度見ても痛快ですからね。しかしそれは、こうしたものの子どもっぽい見方の延長に過ぎません。大人になるということは、自分も含めた人間の欠点と向き合い、ときにそれを許すこと、人間とはそういうものだと理解することではないでしょうか。人生は現実にはかなり困難だけれど、それでもそれに適応していかなければならないと悟ることだと思います。

中身が変わっても残るもの

イシグロ　私たちが日々変化しているというお話は、社会や国にも当てはまらないでしょうか。あなたと私はいまこうして、「日本」と呼ばれる国にいます。けれど、一五〇年前にここに住んでいた人はすでに誰一人存在しません。では、果たしてこれは同じ国といえるのか。私たちが同じ人間のようでいてそうでないように、社会や国もうつろっています。そしてまた、社会や国も記憶をもっています。それを歴史と呼んでもいい。同じ経験をしてもそれをどう記憶するかによって、現社会のアイデンティティが決まります。もちろん、こちらのほうが、個人の記憶よりその時代の意図や政治課題に操作されやすく、信頼できないわけですけれど。

福岡　社会や文化、歴史も、人間が人間の外部につくり出した表現型であるとみなせるということですね。確かに、人間は生物としての存在や一貫性があまりにも不確かで儚いものであるがゆえに、外部に自分の存在の証しをつくってきたといえるかもしれません。非常に興味深いご指摘です。

イシグロ　ただ、古いバージョンと新しいバージョンを結ぶものについては、他の要素もあるかもしれません。ここでアナロジーを挙げましょう。学校を思い浮かべてください。

福岡　学校ですか。まさしくそうですね。

イシグロ　学校の生徒は、数年後にはすべて入れ替わっています。教師も同じです。では、これはいまと同じ学校といえるのか。ある意味でそれは同じ学校です。なぜなら、そこには伝統や慣習が頑《かたく》なに受け継がれているから。あるいは私の作品を出版してくれている「Faber & Faber」という老舗出版社。私がこの会社と付き合う間に、社員は全員入れ替わってしまいました。しかし、この会社は、やはり同じ理由でいまも「Faber & Faber」です。こうしてみると、伝統や慣習といったものが異なる段階をつなぐもう一つの要素に思えます。

では、個人はどうでしょう。私たちも、こうした組織と同様に個人的な決まりごとや慣習をもっています。そして、多くのことを忘れ去った後も、それらは依然として私たちのなかに残り、過去と現在の自分をつないでくれる。こう考えることは可能でしょうか。

福岡 可能だと思います。伝統や慣習というのは、人間の継続的な相互作用によって生じていると思います。

私からは、ジグソーパズルの例を挙げましょう。ジグソーパズルの各々のピースは、全体のどこに自分が位置するかを把握していません。もちろん、それを確認する術《すべ》もない。各々のピースは複数のピースに囲まれ、その間には特定の制限や相互作用が存在します。そして、生命という巨大なパズルにおいては、古いピースが次々と新しいピースに置き換えられ、仮に一年ですべて入れ替わっても、全体に描かれた絵柄は変わりません。各ピースの間に存在する継続的な相互作用がそれを可能にするわけです。これが先ほどいった生命の動的平衡です。そして、学校や会社、社会や国、私たちを取り巻く環境も、すべてこの動的平衡な状態にあると考えられます。

イシグロ　福岡さんは、デイビッド・クローネンバーグ監督の『ヒストリー・オブ・バイオレンス』という映画をご覧になったことがありますか。

福岡　いいえ、観ておりません。

イシグロ　いまのお話で、この映画を思い出しました。とてもよくできたスリラーです。主人公は、アメリカの田舎町にあるダイナーのオーナー。ささやかな地域社会で尊敬を集める立派な人物で、家庭を大切にする良き父親でもある。ところが、ある日、このダイナーに拳銃をもった強盗がやって来て、客を脅し始めます。すると、このオーナーが突然、変貌する。表面に異なる人格が現れ、悪党どもを殺そうとします。

福岡　それはすごい話ですね……。

イシグロ　この映画が物語るのは、この人物が、過去にはまったく別人だったということです。彼はかつてアメリカの裏社会で暮らしており、その後、過去を捨て、人生を完璧《かんぺき》に再形成した。子どもたちも、父親の暴力的な一面などまったく知りません。面白いことに、この映画ではハリウッドの伝記映画にありがちな登場人物の過去を説明するための衝撃的なフラッシュバック映像――彼がなぜ麻薬中毒患者になったのかといった――を使っていません。ここで示唆されるのは、人がまったく別人になり得ること、たとえともに成長したり、長く一緒に暮らしたとしても、その人のすべてを知ることはできないということです。これは人格を提示する手法としては、非常に過激です。ほとんど反フロイト的ともいえます。

福岡　なるほど、その映画は必ず観なければなりませんね。

記憶は死に対する部分的な勝利

福岡　先ほどイシグロさんは、「記憶を固定したくて作家になった」とおっしゃいましたが、私はフェルメールの作品にも、「何かを凍結させたい」という人類に共通した願望を感じるんです。フェルメールの絵のなかでは、時間が止まっています。それもただ止まっているのではない。それらの絵を見ることで、私たちはそこに描かれた瞬間の前にどんな時間が流れていたかを察し、その瞬間の後に何が起こるのかを想像することができます。

じつは、これは科学が行ってきたことでもあります。いままでお話ししてきたように、この世のあらゆる物質は絶えず変化しています。このことを記述しようとすれば、一時的にでも時間を止め、対象を隅々まで観察しなければなりません。フェルメールはこうした分析を絵のなかで行ったわけですが、彼が生きた一七世紀、数学者たちは微分法を発明しました。微分法とは、動いているものやうつろいゆく時間を止めて、過去と未来を提示するものです。ですから、うつろいゆくものを止めて見るということは、フェルメールだけでなく、一七世紀の科学者、数学者、生物学者たちがこぞって試みたことだったとも考えられます。彼らは同じものを、異なる側面から眺めようとしたんです。

イシグロ　とても面白いお話ですね。じつは私の場合、過去にあったことを思い出そうとすると、たいていそれは静止画として頭に浮かぶんです。ビデオクリップのようなものではなく、完全に止まった画像として。日本での記憶は五〇年も前に遡《さかのぼ》るわけですから、なぜこれほど時間がたった後で、そういう形で思い出されるのかはわからないんですが。

福岡　それはどのような画像ですか。

イシグロ　祖父と一緒に通りの店先を覗《のぞ》いている光景、古い家の階段を降りてくる場面。ドラマティックなことは何も起きない、ごくありふれたシーンです。フェルメールが描くのも、じつにありふれた場面ですよね。人を殺すような瞬間ではない。キッチンで女性が牛乳を注いでいるところとか。

福岡　はい、手紙を読んでいたり。

イシグロ　私の場合も、学生時代や、日本での幼少期にあったことを思い出そうとすると、それらは平凡な日常の静止画として現れます。私はそこから、この場面の前に何があったのか、この後に何が起きるのかについて考えを巡らせ、物語をつくっていきます。ときにはこのアイデアを執筆に生かそうとします。単なるフラッシュバックとしてではなく、まず静止した場面を描写し、その前後の出来事をナレーターに語らせるんです。

記憶について、もう一つ触れておきたいことがあります。ジョージ・ガーシュウィンに、「They Can't Take That Away from Me」という曲があるんです。「誰も私からそれを奪うことはできない」――ここでいう「それ」とは記憶です。『わたしを離さないで』を書いているとき、この曲を思い出しました。物語の終わり近く、キャシーはこういいます。「わたしはルースを失い、トミーを失いました。でも、二人の記憶を失うことは絶対にありません」。記憶とはそのような作用をするものだと思います。つまり記憶とは、死に対する部分的な勝利なのです。

福岡　非常に興味深いですね。

イシグロ　私たちは、とても大切な人々を死によって失います。それでも、彼らの記憶を保ち続けることはできる。これこそが記憶のもつ大きな力です。それは、死に対する慰めなのです。だからこそ、アルツハイマーの人々の苦しみが悲劇的に思えます。彼らはアイデンティティだけでなく、大切な人の記憶まで失ってしまっていると感じるからです。

福岡　そのお話をうかがって、『わたしを離さないで』の最後にある、キャシーのモノローグの意味が明らかになった気がします。彼女はこういっています。「静かな生活が始まったら、どこのセンターに送られるにせよ、わたしはヘールシャムもそこに運んでいきましょう。ヘールシャムはわたしの頭の中に安全にとどまり、誰にも奪われることはありません」

ガーシュウィンのその曲を発見したのはいつごろですか。

イシグロ　自分にとって大きな意味をもつことに気づいたのは最近です。ステイシー・ケントというジャズシンガーのカバーを聴いたとき、私の理解どおりに歌ってくれていると感じました。このことは、『わたしを離さないで』のストーリーとも大きな関わりがあります。ポピュラーソングのなかにも、深い発見があるのです。

福岡　なるほど。

最後になりますが、次はどんな作品をお考えですか。

イシグロ　これまで手掛けたことのないようなものになると思います。三つの異なる話が、互いに関係しつつ一つになるような物語。いまお答えできるのはこのくらいです。むしろ私が気になるのは、人々がなぜいつも「次の作品」について知りたがるのかということです（笑）。作家のキャリアにも、連続性を望むからでしょうか。作家も変化するとは思いたくない。きっと「絶えず変化している」という考え自体、恐怖なのかもしれません。

福岡　その意味で、連続性はある種の信仰といえるかもしれませんね。イシグロさんは常にスタイルを変えることで、あえて読者の期待を裏切り続けているように見えますが、それは挑戦ですか。それともご自身の楽しみですか。

イシグロ　自分自身のため、という面はあります。同じことを繰り返すのは退屈ですからね。ただ、どのような作家であれ、ミュージシャンやそうした職業であれ、次の作品に移行するとき、いまあるもののなかで何を保ち、何を捨てるかというのはとても難しく切実な問題です。あなたがおっしゃるように、二五歳の私といまの私は別人です。そのころつくり出した文体は、もはや他人の文体でしかない。私たちが過去と同じ人間ではない以上、ときには自分にとって貴重なもの、人々から賞賛され、自分を唯一無二の存在にしてくれたものでさえ捨てなくてはなりません。しかし一方、すでに馴染んだ習慣もあります。問題を解決する特定の方法も身についている。これらの取捨選択は、映画製作者やアーティスト、画家といった、創作に携わる人間が必ず向き合わなければならない難しい問題なのです。

ここで私たちの今日のテーマに立ち返るわけですね。すべてのものは流転している。もちろん、作家も。

福岡　おっしゃるとおりです。今日おうかがいしたクローネンバーグとガーシュウィンは、私にとって素晴らしい発見でした。

イシグロ　二人ともとても重要な人たちです。

福岡　どうもありがとうございました。とても良いお話でした。

イシグロ　こちらこそありがとうございました。またお目にかかれますか。

福岡　次はぜひイギリスでお会いしましょう。

イシグロ　わかりました。どうぞそれまでお元気で。

第3章

平野啓一郎（作家）

複数の「私」を生きる——分人主義とは？

ひらの・けいいちろう

1975年愛知県生まれ。京都大学法学部卒業。99年大学在学中に文芸誌『新潮』に投稿した『日蝕』により第120回芥川賞受賞。以後、2002年に発表した大長編『葬送』をはじめとして数々の作品を発表し、各国で翻訳紹介される。09年『決壊』で芸術選奨文部科学大臣新人賞、『ドーン』でBunkamuraドゥマゴ文学賞、17年『マチネの終わりに』で渡辺淳一文学賞、18年『ある男』で読売文学賞受賞。23年には構想20年の『三島由紀夫論』を刊行、小林秀雄賞を受賞。他の主な小説作品に『滴り落ちる時計たちの波紋』『顔のない裸体たち』『かたちだけの愛』『空白を満たしなさい』『本心』。その他、エッセイ集『モノローグ』、対談集『ディアローグ』、新書『私とは何か 「個人」から「分人」へ』『ショパンを嗜む』など、幅広い作品を発表している。

撮影:栗原克己

どうやって生きていけばいいのかわからない

福岡　平野さんは大学在学中に芥川賞を受賞されて、まるで彗星、というより、まばゆい超新星のように登場されたイメージがあるんです。そもそも作家になられたのは、子ども時代から本に親しんでいらしたからですか。

平野　じつは、僕は小学生ぐらいまであまり本が好きじゃなかったんです。文学作品を真剣に読むようになったのは中学生のとき、三島由紀夫の『金閣寺』が最初です。その異様ともいえる魅力にショックを受けて、三島が影響を受けたという川端康成や谷崎潤一郎、外国文学ではトーマス・マンや一九世紀のフランス文学なんかを読むようになりました。大学は京都ですし、育ったのは北九州市だったので、東京から発信される先端文学のようなものからは遮断されていた。そのせいもあって、かなりオーセンティックな作品を読んでいたと思います。

福岡　芥川賞を受賞した『日蝕』は中世末期のヨーロッパを舞台とした作品ですけど、その後、現代の問題を扱う小説を発表していかれますよね。代表作ともいえる『決壊』を書かれた背景はどんなものだったのですか。

平野　大学を出た後、しばらくして一年間パリに滞在し、日本に戻って一年ほどしたころです。ショパンを主人公にした『葬送』を書いたころまでは京都にいて自分の好きな世界に浸り込んでいたんですが、現代を舞台に小説を書こうとしたとき、ちょっと絶望的な気持ちになりまして。

福岡　絶望的な気持ち?

平野　非常にニヒリスティックな気分といえばいいでしょうか。一度そのことをとことん書かないと前に進めないと思い、徹底的に希望を疑うプロセスを形にしたのが『決壊』です。テーマは悪と殺人ですけど、結果として、「個人」という概念の限界が見えてきました。その意味で、自分にとっては、そのころ考え続けていたアイデンティティの問題に対する総決算のような作品になったんです。

ところがその後、『決壊』を読んだ読者から「すごく感動したけど、どうやって生きていけばいいのかわからなくなった」という深刻な手紙がたくさん届くようになった。そこから、自分なりにこれまでのアイデンティティに代わる新しい思想を考え始め、やがて

「分人」という概念にたどり着いたんです。

福岡　「分人」の概念は、ドゥマゴ文学賞を受賞した小説『ドーン』の主題にもなりましたよね。私は、平野さんが二〇一二年に出版された『私とは何か　「個人」から「分人」へ』という新書を拝読して、このコンセプトはとても面白いと思ったんです。今日はぜひ、「分人」とアイデンティティの問題についてうかがいたいと思います。

「個人」はなぜ「分けられない」のか

福岡　私たち現代人は、個人のアイデンティティというものを、もともと与えられた唯一無二の本質のように思ってしまいがちです。でも、『私とは何か』のなかで、平野さんは、それを対人関係ごとに生じる「分人」という複数の人格として捉え、人間をその集合体であると考えていらっしゃいます。こういう発想は、どこから生まれたんですか。

平野　僕はもともと、接する相手によって自分のなかに異なる人格が現れることを意識していたんです。

例えば、中学や高校のころまでは、学校生活への違和感も手伝って、いまお話ししたような家で小説にのめり込む自分こそが、「本当の自分」だと思っていました。けれど、では、学校にいるときの自分が「ウソの自分」かというと、そんなことはない。友だちといる時間は十分に楽しく、充実しているわけです。あるいはその後も、ある場所ではじつに快活なのに、別の場所ではひどく内気になってしまうといったことを少なからず体験した。こういう経験は、誰にでもあるんじゃないでしょうか。

福岡　ええ、そうですね。

平野　別に意識してキャラを演じているんじゃない。自分の意識とは関係なく、その場の対人関係に合わせて、ごく自然に、異なる自分になっているわけです。そのどれか一つを「本当の自分」だと決めつけることに、強い違和感がありました。むしろ、僕らは「本当の自分」があると考えることによって苦しみを抱えているのではないか。そういう疑問から、「私とは何か」というアイデンティティの問題に本気で向き合っていったんです。

そこで、「個人」を表す「individual」という言葉について改めて考えてみると、これは成り立ちからして非常に奇妙な言葉だと。「divide（分ける）」に由来する「dividual」に、「in」という否定の接頭辞がついた単語で、直訳すれば「不可分」、つまり、「（もうこれ以上）分けられない」という意味です。「分けられない」という否定形の言葉が「個人」という人間の単位になっているのは、ちょっと不思議な感じがする。

福岡　そうですね。じつはちょうどそれと同じように、原子を表す「atom」という言葉も、「tom」に「a」という否定語をつけて、やはりこれ以上分けられないという最小単位を示しているんです。顕微鏡で細胞を観察するときはダイヤモンドでできた刃物で薄くそぎ切りにして見るんですけど、その器具を「microtome《ミクロトーム》」という。要するに「tom」は「分節する」という意味で、それに「a」を付けることで、「分節できない」という意味になっているわけです。

『私とは何か』を拝読したとき、この類似性に気づいてハッとしました。平野さんはこの問題を考える過程で、「individual」から否定語を取った「dividual」に「分人」という訳語を与え、それを人間の新しい単位と考えた。これは一つの発明だと思います。

平野　概念とは、皆が漠然と気づいていながら、適当な言葉がなくてうまく使いこなせずにいることに対して、言葉を与えていくものですよね。僕も言葉を見つけるまでに一〇年ぐらいかかりましたけど、それができて初めて人の考えも前に進んでいく気がします。

アメーバのように変化する人格

平野　そもそも「individual」は、西洋文化独特の発想から生まれた言葉です。一つはキリスト教。一神教であるキリスト教では、「人間は常にただ一つの『本当の自分』で、一なる神を信仰していなければならない」としています。そこから、「分けられない」という言葉に「個人」という意味が生じた。もう一つ、西洋の論理学では、ここに椅子と机があれば、椅子は椅子、机は机として、それ以上分割できないものと考えます。そのように分化できない最小単位こそが一個一個のもの、つまり、個体だという考え方が人間にも当てはめられたんだと思うんです。

福岡　なるほど、そうですね。

平野　「これ以上分けられない」という言葉が、わざわざ人間の単位として使われるようになったのは、人は放っておくと分化してしまう存在だからだとも考えられます。社会学や経済学のような分野では「個人」がいまも最小単位として機能するかもしれませんけど、視点を現代の生活レベルに合わせると、この単位はあまりに大雑把過ぎると思います。われわれは、日々、一なる神でなく、多種多様な人間とそれぞれに異なる人格で向き合っている。アイデンティティは固定したものではなく、さまざまな人や物との出会いによって分化するものです。こうした動的な変化を、「分人化」と表現できると思うのですが。

福岡　平野さんの「分人」という考え方で、とくに面白いと思ったのはいまいわれた点です。一人のなかに正二〇面体のような人格があり、相手によってその一面を見せるということではなく、アイデンティティそのものを、出会いから生じるエフェクト、与えられた環境に従ってアメーバのように変化する動的な現象と捉えている。もしも人の本質がそのように動的なものであるなら、確固たるアイデンティティがあると信じ、それをひたすら求め続ける「自己実現」の物語も、非現実的な虚構でしかないことがわかります。

じつは「分人」のような動的な自己像は、生命のあり方にも通じます。生物学では、ある事象について、その属性や特徴をいろいろと挙げて定義するのは比較的簡単なんです。でも、「生命とは何か」というように、本質そのものを捉えて一義的に定義することは難しい。なぜなら、そこにあるのは実体ではなく、常にうごめくエフェクトだから。

平野　なるほど。

福岡　このことを象徴するのが、例えば私たちの体にある免疫系です。免疫系というのは、自己と非自己を規定して、他者から自分を守るシステムですね。人間の体には、ウイルスのようなよそ者が侵入してきたらただちに攻撃できるよう、あらかじめ少なくとも一〇〇万通りぐらいの抗体が準備されています。ところが、そのなかには、外敵だけでなく、自分自身を攻撃してしまう抗体も含まれている。それを避けるため、胎児の段階で免疫細胞が体内をくまなく巡り、自分を攻撃する抗体をつくる細胞は自殺プログラムによって排除されるようになっています。

つまり、この時点で、「自分」と反応する部分は免疫細胞から抜け落ちてしまう。ですから、免疫系が規定する自己とは、すなわちヴォイド（空白）なんです。自己そのものは無であり、空疎である。そして、その空疎な自己も、どの免疫細胞がどんな敵と戦うかといった周囲の条件によって、さまざまに形を変えていく。こうした自己のあり方は、いまいわれた「動的なアイデンティティ」という概念に非常に近いように思えます。

初対面では「未分化」な状態

平野　もう一つ、福岡さんは『動的平衡』のなかで、われわれの脳の内部で神経細胞が互いに手を伸ばし合ってつくるシナプスという連繫《れんけい》について書かれていますよね。この回路に電気的・化学的な信号が伝わることで、僕らは話したり、考えたり、動いたりできる。あれも、生まれたときにはすごく複雑な回路が用意されていて、そのなかから身の回りの環境に即して、よく使われる回路だけがしだいに強化されていくと。

福岡　ええ。神経系にも、いまお話しした免疫系と同じことがいえます。私たちの脳の回路も、最初は非常に複雑で雑多な可能性として示され、環境や外的刺激によって、強化されるものと削り取られるものが決まって成立していく。いまある生物の姿を見ると、あたかもきちんとした設計図に従ってできたように見えますけど、実際に生物が採用しているのは、最初に余剰分も含めた素材をいっぺんに提示し、後は周囲との相互作用のなかで自由に彫琢《ちょうたく》してくれ、という戦略なんです。

平野　そういう戦略は、人間がコミュニケーションで用いる戦略にも似ていると思うんです。僕らは初対面の人に会うときは、互いにちょっと警戒したり、探り合ったりしますよね。そして多くの場合、当たり障りのない会話を交わしたりしながら、どうすれば相手との関係がうまく成り立つかを手探りする。最初は互いに未分化な状態でやり取りし、そのなかのコミュニケーションの成功体験を反復することで、その相手に対応する「分人」を形成していくわけです。

福岡 そう、大事なのはそれぞれがもっている要素ではなく、要素と要素の間にできる関係性なんですよね。

少し話が飛びますけど、私は東京で育って、平野さんと同じように京都大学に入学して京都に移り住んだんです。そのとき、とても面白いことに気づきました。東京は戦争で焼け野原になった場所に一から街をつくり直したので、基本的に道路で囲まれた区画に同じ町名がついています。でも、京都では、通りの両側で一つの町になっている。

平野 街の構造をタイルと目地に喩《たと》えると、東京はタイルを、京都は目地を中心に見ている感じですね。

福岡 そのとおりです。ところが、その東京でも、実際のコミュニティはやはり道の両側にあります。東京都と神奈川県の間を流れる多摩川も、江戸時代の地図では両岸が同じ町名になっている。いまは行政が異なるけれど、かつてそこには密接な関係があったわけです。グーグルマップのように空から俯瞰《ふかん》すると、あたかもタイルが街の単位のように見えますけど、街の実体とは、道路や川を越えて行き来する物質や情報やエネルギーであり、相互関係そのものなのです。

にもかかわらず、近代以降、人は目地ではなく、タイルばかりを見るようになった。ちょうど、「自分」が周囲から規定されるものではなく、確固たる本体をもつものだと考えるようになったように。「分人」は、こうした関係性の問題についても、見直しを促す概念に思えます。

脳のパターン認識に縛られるな

平野 「individual」に「個人」という意味を与えたキリスト教は、砂漠に生まれた一神教ですよね。非常に大雑把にいうと、そういう環境では、一人の指導者について西に行ったら全滅、東に行ったらオアシスということがあり得る。Aのいうことは五〇パーセントは正しいが、Bの言葉も三〇パーセントは信じられる、Cのいうことは二〇パーセント、という曖昧さは許されず、常に誰に従うかを決断しなければならなかった。そこで生き残れば神様のお陰ということになるし、全滅すれば、その人たちはこの地上から消えて、もはや何も語らなくなったわけです。

それに対して都市では、「AもBも五〇パーセントずつ正しいね」という態度があり得るし、むしろ人を一〇〇パーセント信じ切ることが難しい。さらにいまは至るところにリンクが張り巡らされ、世界の不確定性と複雑さが増しています。僕はよく、「エンターテインメントと純文学の違いは何ですか」と聞かれるんですけど。

福岡　芥川賞作家に対して、なかなか大胆な質問ですね（笑）。

平野　いえ、よくあることです（笑）。そういうカテゴリー分け自体にあまり意味はないのかもしれませんけど、あえていえば、エンターテインメントは読者がすでに知っていることを巧みに組み合わせて物語にするもの。一方、純文学は、皆が知っていると思い込んでいることを解体して新しい価値を示すものではないかと思うんです。

前者はある種の文化的パターンに従っているので、展開もスピーディーで、読んだ人は最後に号泣できるかもしれない。でも、いまの時代、実際にそうしたパターンに従って生きるのは難しいし、むしろそういうパターンに縛られているために、かえって苦しむ人が増えている気がします。先ほどからのお話にある、確固たる自分があるという思い込みもその一つで。

福岡　確かに。

平野　福岡さんも、ご著書のなかで、僕らが行っているパターン認識が、必ずしも現代生活に合っていないと書かれていますね。取り上げておられるのは視覚の話ですけど、人間にとって生存が最大の目的だった時代には、草原の彼方や暗い森の奥にいかに素早く生物の目に似たパターンを見つけ出せるかが、命に関わる重要な問題だった。そのために僕らの脳は、いまもさまざまな場所に実際にはない法則やパターンを見出してしまう。でも、現代社会では、もはやそういう能力は求められていない、と。

そういう生物学的なレベルの話と文化の問題にどれだけ接点があるかは慎重に語るべきでしょうけど、少なくとも僕らの脳は、普段多くの事柄を深く考えもせず、オートマティックに処理していますよね。そういうことに対して、「いや、それは真実じゃないよ」

といい続けていくことが文学の役割だとも思うんです。

福岡　そうですね。自然はさまざまな変動や揺れ、曖昧さを孕《はら》んでいて、簡単に整理できません。あるがままの自然を把握したり、理解したりすることは人間の脳には難しい。そこで、明日を予測したり、行動したりするために、私たちは自分たちに都合のいいルールやイデアをつくって複雑な現実を整理してきました。ときにはある種の関係妄想を（笑）。

平野　ええ（笑）。

福岡　例えば、因果律の考え方もその一つです。複雑系のような比較的新しい議論も、チョウが羽ばたくとはるか離れた場所で嵐が起こるというように、基本的には因果律を認めています。でも、実際そこにあるのは動的な平衡状態によるある種の同時性だけで、チョウが羽ばたいて嵐が起こることもあれば、起こらないこともある。自然をパターン化して捉え過ぎると、東日本大震災のように「想定外」のことも起きます。その意味でも、この世界のすべてがアルゴリズム的に記述できるという考え方は、そろそろ見直さないといけないと思うんです。

平野　因果律的な考え方は、間違いなく文学的な想像力にも染みついていますね。『決壊』

にも少し書いたんですけど、人はしばしば、タイムマシンで過去へさかのぼると、石ころ一つ動かしても歴史が変わると考えます。でも、そのへんの石を蹴って、明日起こることが変わるとは思わない。過去に対してだけ、因果律をあてはめているんです。

福岡　とくにSF小説のようなものでは、因果律はお約束ですね。生物の進化などを考えるときも、私たちはつい、いま生き残っている生物にはそれにふさわしい理由があるはずだと思ってしまいます。けれど、実際に進化の過程を見れば、その道筋のあちこちに、どこにもつながらなかった袋小路があり、そこに入った生物にも、生き延びたものと死んだものがいた。そこで死に絶えたもの、後から振り返れば進化の大きな物語と無関係に見えるものを回復させるのもまた、文学的な想像力だという気がします。

星占いに頼る人間のリアリティ

平野　本当に合理的に考えれば、この世界はすべて因果律でできているわけじゃないし、アイデンティティも一つではないとわかるはずです。でも、人間は必ずしも合理的にものを考えないいんですね。とくに世界はこうなっているんだという思い込みは、議論して変わるものでもありません。
例えば、占いというのはまさに因果律です。星占いなら、特定の星の位置や動きを見て、そこからこういうことが起こるという因果関係を導き出す。知り合いに非常に知的で尊敬できる女性がいるんですけど、人生の窮地に立ったとき、占い師に見てもらったというんです。そういう人がなぜ三万円も払って街角の占い師にアドバイスを求めるのかと思うけど、そこにはまた別の何かがあるんですね。理屈を超えた神秘性のようなものに惹《ひ》かれる瞬間が。

福岡　この世界に因果律が満ち満ちているという考え方は、ときに人が生きるよすがにもなるんですよね。星が運命を左右するという物語は、ある種の遺伝子神話にも通じます。星の運行が人生を決めるように、細胞のなかに備わった遺伝子メカニズムが、その人の疾病罹患率や犯罪傾向を決めると考える。でも、仮にまったく同じ遺伝子セットをもつ人が二人いたとして、その結果起きてくることは、他のさまざまな要因によって異なります。だから、それはやはり神話に過ぎないんです。

平野　ただ、皆がそういう神話を捨て、政治や経済に即した合理的な判断にもとづいて生きられるようになると考えるのも、リアリティのない人間観ですよね。放射能汚染の問題をとっても、「この水には放射性物質が入っているが、基準値内だから健康にはまったく問題がない」といわれて、その水を飲むかどうか。飲まないのもまた人間です。この問題は、風評被害も含めてデリケートですが、ただ、人間の合理性は自明の前提ではない。社会が必ず合理的でなければいけないと考えるのも、ちょっと暴力的だと思うんです。

福岡　おっしゃるとおりだと思います。仮に頭でいくら違うとわかっていても、人間は、やはり世界のそこかしこに物語を見ずにいられない。

ところで、平野さんは、次はどんな作品を考えていらっしゃるんですか。

平野　震災後、皆、疲れていると思うので、完全に現実を離れられる話を書きたいと思っています。ただ、いくら非現実的な話とはいえ、現実にもとづいて発想しなければ、いまの読者は楽しめない。そこに難しさもあります。

村上春樹さんも、小説家としてデタッチメントとコミットメントをどう考えるかということをおっしゃっていますが、作家がデタッチメントのつもりで書いていても、読者のなかでコミットメントになってしまうこともあるわけです。例えば、復讐《ふくしゅう》劇は非常に効果的なエンターテインメントの物語で、それをデタッチメントのつもりで書いたとしても、読んだ人はそこから「復讐こそ正しい」という価値観を取り込んでしまうかもしれない。そして、現実に日本がどこかの国から攻撃されたとき、復讐を是とする政治的な意見を表明するかもしれない。どれほど非現実的な物語にも必ず現実とコミットする回路があり、何らかの価値観としてフィードバックされるだろうことはいつも感じています。

福岡　作品もいったん作家の手を離れると、誰に受容されるかによってさまざまに姿を変える、動的で「dividual」な存在になっていくということでしょうか。

平野　そうですね。作品をどう読むかは読者の内心の自由ですけど、だからこそ、作者として後で茫然《ぼうぜん》とするようなものは書きたくないと思っています。

もう一つ、これまでの文学作品を「分人」という概念から読み直すと、書くべきことがたくさんあるんじゃないかと。対人関係ごとに主人公が別人になる話とか、一人の男性が異なるタイプの複数の女性を愛する物語とか。ただ、小説は、そもそも主人公が個人という硬直した単位を生きるがゆえに生まれる苦悩の上に成り立ってきたわけですから、そこに「分人」という尺度を持ち込むと、話が非常にややこしくなるというジレンマがありますね。

福岡　でも、まさに「一貫性のない自己」といった人間の非合理性をテーマにできるのも文学の特権ですね。

平野　ええ。それに、時間はかかるかもしれませんが、やがて「分人」という概念が当たり前に受容される日が来るかもしれません。天動説も、すぐには地動説に変わらなかったわけで。

福岡　そうですよ。地動説が出て四〇〇年以上たったいまでさえ、たくさんの人が、自分は止まったまま、太陽が昇ったり沈んだりしていると思っているぐらいですから（笑）。

第4章

「知的生命体」が宇宙にいるのは必然か

佐藤勝彦
（宇宙物理学者・明星大学客員教授・東京大学名誉教授・日本学士院会員）

さとう・かつひこ

1945年香川県生まれ。京都大学大学院理学研究科物理学専攻博士課程修了。理学博士。専攻は宇宙論、宇宙物理論。東京大学大学院理学系研究科教授、自然科学研究機構長、日本学術振興会学術システム研究センター所長などを経て現職。81年に初期宇宙の進化モデルである「インフレーション理論」を独自に提唱。その後、国際天文学連合宇宙論部会長などを歴任。89年井上学術賞、90年仁科記念賞受賞。2002年紫綬褒章受章。10年日本学士院賞受賞。14年文化功労者。18年瑞宝重光章受章。明星大学理工学部客員教授。著書に『宇宙論入門』『インフレーション宇宙論』『眠れなくなる宇宙のはなし』『ますます眠れなくなる宇宙のはなし』『宇宙137億年の歴史』『宇宙は無数にあるのか』など。

撮影:栗原克己

「それ」は地球の生命に似ているか

福岡　佐藤さんはご著書のなかで、地球外生命は存在するのかという問題を取り上げられておられますよね。この分野にとくに関心がおありなんですか。

佐藤　私自身がそうした研究を進めているわけではありませんが、「宇宙における生命」についての研究は、今後大きく発展していく新しい分野だと思っているんです。天文学、生物学の境界領域であり、少数ではありますが、それぞれの分野の研究者がこの問題に取り組んでいます。幸い、私が機構長を務めている（対談当時）自然科学研究機構には、天文学と生物学、それぞれの研究所があります。ですから、「宇宙における生命」の研究を応援し、強化していくことは、私たちの責務だとも思っているんです。

福岡　二〇一〇年にＮＡＳＡの宇宙生物学研究所の研究グループが、「カリフォルニア州のモノ湖で、リンの代わりにヒ素を使って生命活動を行う細菌を発見した」と発表して、大きな話題になりましたよね。リンは地球の生命体を構成する主要元素の一つですが、それを使わずに生きられる細菌がいるなら、リンのない天体にも生命が存在できることになる。これが事実なら、今後の地球外生命の探索にも影響を与えるのでは、といわれました。

その後、この発表には信憑性《しんぴょうせい》を疑う批判が相次いで出たわけですけど、宇宙における生命を考える場合、地球の生命体のようなものを想定するのか、あるいは、まったく異なる生命形態も含めて探るのか、二つの道があると思います。そのあたりはどうお考えですか。

佐藤　そうですね。まず、いま自然科学研究機構の国立天文台が中心になって進めているのは、太陽系外の惑星、とくに水が液体で安定して存在できるハビタブルゾーン（生命居住可能領域）にある惑星を探す研究なんです。さらにそこから、それらの惑星を詳しく観測して、生命の有無を探っていくことになるでしょう。その際、初めはいま知られている唯一の生命体である地球型の生命を探すことになるはずです。

福岡　まずは、宇宙における生命体を、地球型生命体のバリエーションとして考えるわけですね。

佐藤　ええ。しかし、もちろん、それだけでは終わらない。私たちの知る地球の植物は太陽光を使って光合成を行っていますが、例えば、恒星にはいろんな種類の星があり、太陽より少し小さい星は太陽より温度が低く赤みを帯びています。その周りを回る惑星には、地球の植物とは大きく異なるメカニズムで光合成を行う植物も存在するかもしれません。しだいにそういうところまで、探査の対象を広げていければと思っています。

宇宙はここ以外にも無限に存在する

佐藤　私自身は宇宙論の研究者なので、本当はいろいろな生命体を考えたいんです。事実、宇宙科学者は、これまでにさまざまな地球外生命を発想してきました。

例えば、私たちのように化学反応ではなく、原子核反応によって生命活動を行うもの。有機物の代わりに、プラズマ状態にある無機物で構成される生命体。フレッド・ホイル（注1）というイギリスの天文学者が一九五七年に発表した『暗黒星雲』というSF小説では、暗黒星雲そのものが知的生命体として描かれています。奇想天外にも思えますけど、ホイルは、恒星の内側で炭素や酸素などの元素が合成されることを明らかにするなど、数々の功績を遺した天才的天文学者で、この物語もある程度、科学的根拠のある話です。あるいは、アメリカのダイソン（注2）という物理学者が……。

福岡　ああ、フリーマン・ダイソンですね。

佐藤　現在の物理学では、質量をもった物質はやがて崩壊し、電子やニュートリノや光になるといわれますが、ダイソンは、そのように物質が消え去った後でも、新たな生命が生まれてくる可能性はあると述べています。そして、人類自体が宇宙生命体となり、太陽系を越え、はるか銀河系にまで広がっていくだろうと。
将来的には、そのあたりまで生命への洞察を拡大できれば素晴らしい。さらにその上には、「人間原理」という概念がありますけど。
福岡　「この宇宙の物理定数が、ちょうど人間の生存に適した値になっているのはなぜか」という問題ですね。
佐藤　ええ、宇宙はなぜこんなにうまく、人間が生まれるようにデザインされているのか。「デザイン」というと、ちょっと怖いですが（笑）。
福岡　佐藤さんはそれをどう説明されますか。
佐藤　私たち物理学者は、それをマルチバース（多宇宙）という概念で説明できると考えています。これは、私たちがいる宇宙の他にも、宇宙が無限に存在するという考え方ですね。私が一九八一年に「インフレーション理論」（注3）を発表したときも、一つの宇宙から多くの宇宙が次々に誕生するという論文を書きましたが、最近はその部分の理論が大きく進歩し、それらの宇宙では、物理法則までがそれぞれに異なると考えられています。

この考えのもとにあるのは、物質の基本要素を、粒ではなく、ひも状の存在とする「超ひも理論」です。私たちがいる空間は、縦、横、高さのある三次元空間ですけれど、この理論に従えば、その周りには一〇次元の宇宙が広がり、そこには二次元や五次元の宇宙空間も存在していることになります。さらに、「超ひも理論」をベースに発展した最新の仮説では、三次元空間に閉じ込められた私たちには単にそれらが見えないだけで、物理法則も次元も異なる宇宙は無限に存在するといわれています。

福岡　「人間原理」では、この宇宙が人間に適して見えるのは、「まさに私たちがそこにいるからだ」といいますよね。

佐藤　そうです。スタンフォード大学の物理学者で、この分野の権威であるレオナルド・サスキンドは「宇宙は一〇の五〇〇乗存在する」といっています。仮にそれだけ多くの宇宙が多様な物理法則をもつとすれば、そのどこかで知的生命体が生まれているかもしれない。その生命体は、私たちと同じように、自分のいる世界はじつにうまくできていると感じているはずです。つまり、認識主体がいるからその世界が存在するので、主体がいない宇宙はそもそも認識されない。誰も質問する人がいないので。

福岡 質問する人がいない（笑）。質問が生まれるような宇宙なら、辻褄《つじつま》が合うのは当然だということですね。

佐藤 しかし一方、物理学者としては、「多様な物理法則」という考え方に対してフラストレーションもあります。物理学者は、この世界を総《す》べる物理法則は、必然的にたった一つに定まっていると信じたい。その信念のもと、究極の法則を探り出すことに、最大の喜びがあるんです。

福岡 そこにイデアのようなものを見ているわけですね。

佐藤 もちろん、すべての人がこうした考え方に同意してくれるわけではありません。以前、ある生物学者の方からは、「物理法則なんてそれほど大仰なものじゃない。地球に人間が生まれたのはたまたま環境がそれに適していたからで、物理法則もそういう環境因子の一つに過ぎないよ」といわれました（笑）。

知的生命体からの電波を捉えるサーベイ

福岡　じつは、こんな思考実験があるんです。私たちのいるこの宇宙の歴史はおよそ一三八億年、そのうち地球の歴史は四六億年、さらに、地球に生命が誕生してから三八億年がたったといわれます。つまり、生命は、地球誕生の八億年後に生まれたことになる。では、その八億年の歴史が、さまざまな環境条件を含めてまったく同じように再現され、繰り返されたとき、同じ進化のプロセスをたどって、いまと同じ人間が生まれてくるだろうか。私は、生まれてこないと思うのですが。

佐藤　私も、生まれないと思いますね。よく、いまから六五五〇万年前に地球に巨大隕石が落ち、それによって恐竜が滅んだために、哺乳類が知的生物へと進化したといわれますよね。しかし、あの時期にあの隕石が落ちたのは、極めて偶然です。隕石が落ちず、人間の代わりに恐竜が知的生物になった可能性すらあると思います。

福岡　私は、同じ環境が再現されれば同じ結果がもたらされるというのは、イデアを求めすぎる考え方ではないかと思うんです。同じ条件で隕石が落ちても、一部の恐竜は生き残ったかもしれないし、その後に残った哺乳類もいまのように栄えなかったかもしれない。進化の過程にはさまざまな岐路が存在し、そのうちどれを選ぶかの選択には、偶然としか思えないことがたくさんあります。

例えば、私たちの体をつくるアミノ酸にはL体とD体という二つの異性体があって、地球の生物はすべてL体を使っています。そこに必然はなく、たまたま最初に誕生した生命がL体を選んだに過ぎない。同じ環境が繰り返されれば、次はD体が選ばれるかもしれません。そう考えると、同一の進化のプロセスは二度と繰り返されないと思えます。とくに西洋には、環境さえ再現されれば必ず人間が地球を支配するというある種のドグマがありますけど、それはちょっと違うと思うんです。

佐藤 そうですね。ただ、私自身は、知的生命体についてはもう少し別の見方ができると思っています。

確かに進化の過程でたくさんのサイコロが振られることを思えば、二、三回の実験でいまと同じ人間が生まれてくるとは考えにくい。しかし、地球のような星が他に無数にあるとするなら、どこかで人間のような知的生命体が生まれることは、統計的に必然です。つまり、いま恐竜が知的生命体になったかもしれないと申し上げましたけど、ありとあらゆる場所にありとあらゆる生物が生まれ得るなら、そこには何らかの形で必ず知的生命体が含まれるはずです。その場合、それがわれわれと同じように、ＤＮＡから生まれる生命体である可能性も決して低くないのではないでしょうか。

福岡　だとすると、私たちが地球外の知的生命体とまだ出会えていないのは、宇宙が広すぎるからでしょうか。

佐藤　そう考えるのが、おそらく最も可能性が高いと思います。銀河系における恒星間の平均距離は、およそ三光年（一光年はおよそ一〇兆キロメートル）。一方、いま人間がつくれる最速の宇宙船の速度は、光速の〇・一パーセントにも満たない。これでは、隣の星へ行くだけで何万年もかかります。おそらくこうした距離が、お互いの邂逅《かいこう》を妨げているのではないか。しかし、電波などの調査で今後も知的生命体の存在が確認できないとなれば、その理由をもっと深刻に考えないとなりません。

いま科学者の国際組織が、二〇二〇年のスタートを目指してＳＫＡ（Square Kilometer Array 注4）というサーベイ計画を進行中です。これは地面に二〇〇〇〜三〇〇〇機の電波望遠鏡を並べて総開口面積一平方キロメートルに達する電波干渉計をつくり、宇宙からの電波を調べるものです。主な目的は宇宙が初期の火の玉状態から透明になり、ガスが固まって天体になるまでの暗黒時代を詳しく研究することですが、同時に宇宙における生命活動の探査も行ないます。

福岡　それはどこに設置されるんですか。

佐藤　オーストラリアと南アフリカがそれぞれ準備に着手してしまったので、仕方なく両方につくることになりました。どちらの国も、自分のところで行って欲しいという希望がありまして。

福岡　まるでオリンピックの招致合戦のようですね（笑）。

佐藤　調査範囲は地球の近傍《きんぼう》、一〇光年程度に限られるでしょうけど、その体積内では知的生命体が出しそうな電波は徹底的に調べられます。生物が出しそうな電波とは、つまり、意味のありそうな信号ということになりますが。

福岡　繰り返しとか、倍音とか、なんらかの法則性のあるものですよね。

佐藤　電波を解析するにはものすごい量のコンピュータ処理が必要です。しかし、仮に

「この範囲には知的生命体がいない」という結果が出ても、そのこと自体に意味があります。そのデータを銀河系に敷衍《ふえん》して、例えば銀河系内の知的生命体数の上限値などについて定量的な議論ができますから。逆に「いる」となれば、ノーベル賞ものでしょう（笑）。

遭遇できないのは文明が儚いから

佐藤　知的生命体の発見には悲観的な研究者も多いんですが、その理由の一つは、他の惑星からの電波が地球に届くには、まだまだ長い時間がかかるというものです。

われわれの太陽系を含む銀河系の直径は約一〇万光年、星の密集した部分にはおよそ一〇〇〇光年の厚みがあります。そのなかだけでも、太陽のような恒星が二〇〇〇億個ほど存在しているという。しかし、地球は、その中心部から三万光年ほど離れた、いわば片田舎のような場所にあるわけです。

福岡　光と電波は同じ速度ですから、中心部からの電波は、三万年たたないと届かないことになりますね。一〇〇光年離れた星の電波でも、地球に達するには一〇〇年かかる。地球でラジオ放送が始まったのは二〇世紀に入ってからですから、その電波もまだ一〇〇光年ぐらいの距離にしか届いていないわけです。

佐藤　さらに、最も悲観的な人々は、通信技術をもつほどの知的生命体の文明が持続するのは長くてせいぜい一〇〇〇年、だから、この瞬間に銀河系に存在する文明は一〇〇もなく、互いに出会えなくて当然だといいます。では、この地球の文明はどうか。われわれ人類は、電波通信を行う高度な文明を、少なくともこれまで一〇〇年維持してきました。でも、この先いつまで持続させられるかはわかりません。

イギリス天文学界の重鎮であるマーティン・リース（注5）という宇宙物理学者は、『今世紀で人類は終わる？』という著書のなかで、いま人類が抱える多くの脅威について語っています。その一つに、「有能な生物学者が一人でも狂気に駆られて、どんなワクチンも効かないようなウイルスをばらまけば、人類は二一世紀に滅びる」というのがあるんですが、いかがでしょう（笑）。

福岡　まあ、それはあり得るかもしれませんけれど（笑）。ただ、過去の生命の歴史を見ると、アンモナイトや三葉虫のように急速に地球全体に広がった生物は、皆、急速に萎《しぼ》んでいます。だから、マッド・サイエンティストが現れなくても、人間が何らかの理由で急滅する可能性はあると思うんです。

私は、仮に人間が滅んでも、その後には必ず何者かが生き残り、地球の生命現象自体は続いていくと思います。一方、生命の起源について、生物学者が説明することはできません。生命の誕生まで八億年という時間は、一見長いように見えて、生命の歴史全体からすればあまりにも短い。生命は、合成と分解のたえまないサイクルを繰り返す動的平衡そのものであり、いったんその平衡状態がつくり出されれば、そこから少しずつ変容して、進化していくことができます。おそらく最も困難なのは、何もないところから動的平衡そのものを生み出すことです。そのためのトライ・アンド・エラーの期間がたった八億年というのは……。

佐藤　足りないと思われますか。

福岡　私にはそう思えます。

地球生命の「種」は宇宙から飛んで来た?

福岡　地球の生命の起源については、「パンスペルミア説」というのがありますよね。宇宙の塵《ちり》などに混じって、生命のもととなる有機物が「種《スペルミア》」として地球に飛来したという、この説についてはどう思われますか。

佐藤　先ほど挙げたフレッド・ホイルも、「地球の生物の進化は、彗星によって運ばれてくる病原性のウイルスによって引き起こされた」という、かなり過激なパンスペルミア説を唱えていますよね。例えば、火星起源の隕石は地球のあちこちで見つかっていますから、地球生命の火星起源説を説く人も確かにいます。NASAは、生命の痕跡を探すことを目指し、「キュリオシティ」という無人探査車を使って、二〇一二年八月から実際に火星の調査にあたってきました。もしも火星で地球型の生命が発見されたなら、地球起源の生命体が火星に運ばれたか、あるいは、地球の生命が宇宙から運ばれたかのどちらかかもしれない。しかし、これらの生命体が、さらに太陽系外からやってきたとは思えません。「キュリオシティ」がすぐに火星生命の発見に成功するとはいえませんが、火星には、かつて長期間にわたって水が豊富に存在していたことがわかっていますよね。今回のNASAの火星調査でも、太古の湖底と思われる場所から採取したサンプルを解析した結果、そこにかなり清浄な水があったことが確認されました。こうした条件を考えると、近い将来、地中細菌のようなものが見つかる可能性は高いように思えます。

福岡　そうでしょうか。

佐藤　福岡さんは八億年でも足りないといわれましたが、「地球の生命誕生に要した時間は一億年程度だった」という説もありますね。知的生命体は別として、私も、単細胞程度の生命なら、意外と簡単に生まれるのではないかと思うんです。

福岡　なるほど。そこは、物理学者と生物学者でかなり見方が異なるところかもしれませんね。私は、顕微鏡で細胞を見れば見るほど、「これはそう簡単にはできない」と感じてしまいます。でも、もしも火星のあちこちで細菌が見つかるようなことがあれば、考え直さないといけないかもしれない。あるいは、二〇一四年に打ち上げが予定されている小惑星探査機「はやぶさ2」（注6）が、地球近くの惑星からアミノ酸や核酸につながる有機化合物のかけらを発見すれば、「パンスペルミア説」が急に具体性を帯びてくるかもしれません。

現時点では、この議論は、ひとまず脇へ置いておきましょう（笑）。

「宇宙の果て」に向かう少年の好奇心

福岡　ところで、私は少年のころ昆虫に親しんでいたことから生物学者になったわけですが、佐藤さんはどうして宇宙物理学者になられたんですか。

佐藤　要素は二つあると思います。一つは、小学生のころ、私はラジオ少年でして。近所から壊れたラジオをもらってきては、それを直して自作のラジオをつくっていました。

福岡　それはどういうラジオですか。

佐藤　最初は鉱石ラジオです。やがて、一から自分で鉱石ラジオをつくるようになりました。石ころに針金をつけたようなもので、この針金を屋根の上まで引いてアンテナにするんですが、大きなアンテナを渡すほど音も大きくなった。

福岡　そのころから空にアンテナを張って、電波を探していらした（笑）。

佐藤　まあ、そういうことになりますね（笑）。中学生のときには、白黒テレビもつくりました。

福岡　ちゃんと映るようなものを？

佐藤　ええ、映りました。ちょうどケネディ大統領が暗殺されたころです。ただ、テレビの場合は、気をつけないと危ない。ブラウン管を操作するのに必要な一万ボルトの高圧が、テレビのなかの金属と火花放電を始めてしまうので。

福岡　家のなかでバチバチッと。それは危険ですね（笑）。佐藤さんは、昔からメカニックがお好きだったわけですね。

佐藤　もう一つの要素は、田舎に住んでいたことのメリットとでもいいましょうか。私は香川県の坂出《さかいで》市出身なんです。家は坂出の港から山一つ隔てた場所にありましたから、夜になると港の光も届かない。新月の晩には、天の川がきれいに見えました。それを見ながら親父が、「あの天の川は、何万光年もの彼方にあるんだよ」というわけです。「その向こうはどうなっているの」と聞くと、「宇宙には果てがない。果てがあると思うと、その果ての向こうというものを考える。それは矛盾になるから、果てはないんだ」と、嘘か本当かわからないことを。

福岡　哲学問答のようですね。

佐藤　その後、湯川秀樹先生に憧れまして。

福岡　当時の少年にとって、湯川先生はヒーローですよね。

佐藤　福岡さんも憧れましたか。

福岡　いえ、私は今西錦司先生でした。

佐藤　ああ、霊長類の研究をされた。そうでしょうね。私が小学生のころ、日本はアメリカの援助で生きているような国でした。貿易収支は赤字だし、われわれは給食でアメリカからタダでもらった脱脂粉乳を飲まされていた。そういう貧しい国でも、紙と鉛筆があれば、湯川先生のようにノーベル賞が取れるというのは大きな希望だったんです。

大学では実際に湯川先生の講義を受けることができましたが、その過程でわかったのは、素粒子のような極微のものと広大な宇宙の研究とが、じつは非常に近いということです。さらに大学院では、二〇〇八年にノーベル物理学賞を受ける小林誠さんや益川敏英さんに出会って、自由に議論を交わすこともできました。湯川先生のお客様としてたまたま大学に来ていたノーベル賞物理学者のハンス・ベーテさんと共同で、中性子星についての修士論文を書けたのも幸いです。益川さんにはニュートリノの研究について貴重なアドバイスをいただき、コペンハーゲンの研究所ではインフレーション理論に取り組むこともできた。

私はいろいろな意味で、幸運だったんです。

福岡　「生物の進化は偶然に起こる」という見本のようなお話ですね。少年時代の体験が、その後のお仕事につながったことがよくわかりました。それからもう一つ、少年には、佐藤さんのように望遠鏡で広い空を見上げるタイプと、私のように顕微鏡でミクロな世界を覗《のぞ》き込むタイプがいるということも。どちらもレンズを使いますが、見つめる方向が違う。けれど、その先に求めるものは似ているような気がします。

注1：【フレッド・ホイル】一九一五〜二〇〇一。天文学者、SF小説家。元素合成理論の発展に貢献。長くケンブリッジ大学天文学研究所の所長を務めた。

注2：【フリーマン・ダイソン】一九二三〜二〇二〇。プリンストン高等研究所名誉教授。量子電磁力学の完成に寄与。恒星の全エネルギーを利用するダイソン球など、宇宙や生命について常識を超えるダイナミックな発想を発信したことで知られる。

注3：【インフレーション理論】誕生直後の宇宙が加速度的に急膨張を起こし、火の玉宇宙を経て現在の宇宙になる過程を示す理論。ビッグバン理論の問題点を解決することで知られる。

注4：【SKA】総集光面積一平方キロメートルにおよぶ世界最大規模の電波望遠鏡の建設計画。現在建設中で、二〇二九年完成予定。

注5：【マーティン・リース】一九四二〜。宇宙物理学の世界的権威。ケンブリッジ大学教授、英国天文学研究所所長、英国王立協会会長などを歴任。

注6：【はやぶさ2】JAXA（宇宙航空研究開発機構）による小惑星探査機。小惑星リュウグウの探査とサンプル採取を目的とし、二〇一四年に打ち上げ、二〇二〇年に地球帰還。二二年持ち帰ったサンプルにアミノ酸が含まれていたと発表された。

第5章

玄侑宗久（作家・僧侶）

無常の世では「揺らぐ」ことが強さである

げんゆう・そうきゅう

1956年福島県生まれ。慶應義塾大学文学部中国文学科卒業。その後、京都天龍寺専門道場に入門、現在は三春町・臨済宗福聚寺住職。2001年、『中陰の花』で第125回芥川賞受賞。07年、柳澤桂子氏との往復書簡「般若心経 いのちの対話」で第68回文藝春秋読者賞受賞。14年『光の山』で第64回芸術選奨文部科学大臣賞受賞。小説に『アブラクサスの祭』『御開帳綺譚』『アミターバ 無量光明』『龍の棲む家』『テルちゃん』『竹林精舎』『桃太郎のユーウツ』、その他の著書に『私だけの仏教』『禅的生活』『禅語遊心』『現代語訳 般若心経』『禅のいろは』『無常という力 「方丈記」に学ぶ心の在り方』『福島に生きる』『祈りの作法』『なりゆきを生きる』『禅のアンサンブル』『むすんでひらいて』など多数。

撮影:栗原克己

科学はものごとを「分けたがる」

玄侑　私は、福岡さんの『生物と無生物のあいだ』を読んで衝撃を受けたんです。理系の方が、こんな繊細な文章でこういうことを書くのかと。理系と文系をあえて分ける必要はないかもしれませんけど、前々から科学と文芸はどこかで合体しなきゃいけないと思っていた。それができる方がついに現れたと思いました。

福岡　それは過分なお言葉です。そういう玄侑さんご自身も、作品のなかでかなり科学に目配りされていますよね。私から見ると、玄侑さんのほうが文系と理系の境界を自由に行き来されているように見えます。

玄侑　でも、私がいくら科学的なことを書いても、お遊びみたいに映ってしまう。科学を語る場合、人は圧倒的に理系の人の言葉を信用するんですよ（笑）。

福岡　それはなぜでしょうね（笑）。

玄侑　人間はものごとをわかりたいと願うとき、全体を「部分」に分けて考えようとしますよね。現実には存在しない境界を設け、一部を切り取って検証したり、分析したりして理解しようとする。理系の方の書くものは、そうした欲求にうまく応えているんじゃないでしょうか。ただ、切り分けることでわからなくなることもたくさん出てくるわけですが。

福岡　そうですね。理系の専門教育というのは、とても長い時間がかかるんです。大学の学部が四年、大学院に入って五年。研究者になるなら、その後さらにポスドクとして修業を積む。その間、主に何をやっているかというと、ものを「分けて名づける訓練」です。

玄侑　ああ、なるほど。

福岡　例えば、大学ではまず学生に顕微鏡の使い方を教えます。それで、「細胞を観察して紙にスケッチしてごらん」というと、最初は皆、うまく描けません。どこまでが一つの細胞かもわからないし、名もない粒や膜がユルユルと揺らいでいる姿をそのまま写すと、子どもが描くような途切れ途切れの線になってしまう。ところが、細胞には核があり、そのなかにＤＮＡが折りたたまれ、ミトコンドリアという小器官があり……と、それがいくつもの部品からなり、それぞれに名前があることを学ぶと、ちゃんと描けるようになります。そうやって境界線を引き、名づけることによって、一見、世界は整理されたように見える。でも、おっしゃるように、そのために見えなくなるものは少なくないわけです。

玄侑　動物行動学者の故・日高敏隆さんが『人間は遺伝か環境か？　遺伝的プログラム論』という著書に書いておられるんですが、小学生の子に記憶を頼りにアリの絵を描かせると、多くの子が頭と胴だけを描くというんです。アリには頭、胸、腹があり、胸の部分から六本の肢《あし》が生えている。でも、実物を見せてもう一度試しても、やっぱり頭と胴、それに四本の肢が胴から生えているように描く。子どもの意識にはおそらく頭、胸、腹という区分がないから、いくら実物を見ても、そういう区分があるようには見えない。これは、境目や部分というものが、なんらかの符丁なしでは認識されないということじゃないですか。

福岡　そうですね。そこにアリがいると認識した時点で、アリはアリだと思って、それ以上、詳しく見ないということもあるでしょうけど。

玄侑　この子どもたちの例でいうと、自分と同じように頭と胴があり、あとは動くから肢を付けるというのは、身近な自然に接したときに、子どもが抱く素直な実感だと思うんです。生物の研究ならば区分が重要でしょうし、大人がものごとを理解するには名前や概念が必要だと思いますけど、アリの体が、本当に三つの部分からできているわけじゃない。区分というのは、そもそも現実を言葉で分けたがる人間の強引な線引きですよね。

福岡　ええ、生物の体は、一つひとつの細胞が少しずつ変化しながら発生していったものですから、本来、部分に分けることはできないはずなんですよね。人体についても、私たちはつい、心臓や肝臓、腎臓といった臓器が、町工場でつくられた部品みたいにはめ込まれてできているように思ってしまいますけど、仮に心臓をその機能ごと体から取り出そうとすれば、それを動かすための仕組み、つまり、体じゅうに広がる血管や神経までまとめて切り出してこないとならない。科学は、対象を要素に分けるところからスタートします。科学では、それをしないと対象を理解したことにはならない。でも、現実の世界はもともと切れ目なくつながっているんです。

玄侑　福岡さんは『世界は分けてもわからない』というご本を書いておられますけど、このタイトルはそのまま科学を打ち据える言葉にも思えますね。

生命とは途切れのない「流れ」である

玄侑　私は、いまおっしゃったような臓器の分類の仕方に、帝国主義的な匂いを感じるんです。古代の日本人は、胸と腹の区別はもっていても、解剖の経験がないため臓器の別を知りませんでしたよね。だから、肝《かん》や心《しん》のように、内臓を表す言葉には漢語をそのまま使った。奈良時代に中国から内臓の概念が入ってきたとき、「これが臓器の正しい分類だ」ということを押し付けられたんじゃないでしょうか。すべてを統一言語で語らなければならないところに、科学の支配的な性質がある気がするんです。

福岡　もう一つ、科学は、人体のようなものに中央集権的な階層構造をあてはめようとするところがあります。人の体には脳と脊髄《せきずい》からなる中枢神経系とそれ以外の末梢神経系があり、すべての頂点にある脳が、体を支配するという考え方。でも、現実には、脳は体を支配しているわけじゃない。ここで「末梢」と呼ばれる、五感をつかさどる部分から入力される情報を集約し、それらをまた分配して体の各部に伝える、いわば電話局の交換台みたいな場所でしかありません。

アレクサンドル・べリャーエフというロシア人作家に、『ドウエル教授の首』というSF小説があるんです。高名な医者が亡くなった後、その頭部だけを管につないで生かしておくという話なんですけど、脳だけで世界を認識し、生き長らえるということはあり得ない（笑）。

玄侑　犬や猫の脳には、脳幹や大脳辺縁系はあっても、大脳皮質はほとんどありませんよね。とくに高度な思考を行なう前頭前野は人間のように発達していない。逆にいえば、人間の脳は、もともと売れ残った荒れ地みたいな場所に、たまたま駅ができて栄えちゃったような状態じゃないですか（笑）。

福岡　新幹線の新設駅ができた、みたいな（笑）。それは言い得て妙ですね。例えばミミズの場合、神経系が体にはしご状に分布しているだけで、そもそも情報が脳に集約されるということなく行動として出力されています。ですから、生物の体がすべて中央集権的な階層構造で成り立っているという考え方は、後からつくられたイデアのようなものだと思います。

玄侑　そういう考え方に対して、福岡さんはまったく違う視点から生命を語られていますよね。生物の体は分子が集まってできたものだけど、単なる分子の集まりではない。そこに別のものが加わったとき、それは初めて生命になる。そして、そのプラスアルファとは、体を構成する要素の「流れ」だと。

福岡　生物の体を構成する分子は、私たちが毎日食物として取り込む分子と絶えず入れ替わっています。私たちの体は、そうした分子の流れが一時的に生み出す「淀み」みたいなものので、生命とはいわば、「その流れがもたらすところの効果」だといえる。その効果のあり方を、私は「動的平衡」と呼んでいるんですけれど。

玄侑　そのような生命観は、そのまま仏教の生命観に通じるものです。仏教では命を大きな一つの流れとして捉えてきました。自然界では、ある植物が枯れると、それがもとになってまた新しい植物が生えてくる。この連続を思えば、生命は確かに途切れない流れに違いありません。命は、絶えず姿を変えて展開していくものですよね。

福岡　そうですね。ある個体が死ぬと、その個体を構成していた分子は他の生命体にバトンタッチされていきますから。生命という蹴鞠《けまり》を落とさないよう、皆で蹴り合っているわけです（笑）。

人間が「死」を見極めることはできない

玄侑　だいたい、人が生まれる瞬間も、あるいは死ぬ瞬間も、「ここだ」と指し示すことはできませんよね。呼吸停止や心停止を死の兆候と見なすのは、人間が勝手につくった取り決めでしかなくて。

福岡　その意味では、「死」も、ものごとを分けて名づける思想の産物なんですよね。動的平衡の視点から見れば、人の誕生とは、精子と卵子が合わさって別の流れが生じたということだし、死とは、人間の体を構成する三七兆個の細胞がしだいにその平衡状態を失っていく過程です。脳の機能が停止しても細胞の多くは生きていて、血液の循環が止まることで少しずつ死んでいく。すべての細胞が死に絶える瞬間を、私たちが見極めることはできません。

玄侑　そもそも死という概念自体、仏教とともに日本に入ってきたもので、それ以前の日本にはなかったと思うんです。『古事記』では「神避《かむさ》る」、『万葉集』では「隠《かく》る」「去《い》ぬ」などと表記されますが、生まれてきて、やがてどこかへ隠れたか、去ってしまったという認識です。

福岡さんは『世界は分けてもわからない』のなかで、私たちの視覚に生じる「マッハ・バンド」について書かれていますよね。

福岡　はい。例えば濃い色から薄い色へ連続的に変化している絵を見るとき、人間の目は濃いところをより濃く、薄いところをより薄く見て、そこに存在しないはずの境界を生み出してしまいます。その境界に生じる帯を、オーストリアの物理学者エルンスト・マッハが発見したことから、マッハ・バンドと呼びます。人間の視細胞の性質からくる錯覚なんですが。

玄侑　生死の境界も、境目のないグラデーションのなかに特定のポイントを見てしまうという意味で、人間が生み出したマッハ・バンドじゃないかと思うんです。

ちょっと話が飛びますけど、仏教では、一方でセックスを禁じつつ、他方ではセックスを肯定しているんです。密教の経典である『理趣経』では、それを「清浄なる菩薩《ぼさつ》の境地である」とまでいっています。肯定する条件は、そのとき本人が無常であればいいということ。セックスを罪と見なすのは、頭のなかにマッハ・バンドのような線引きが生じているからで、そういう境界のない状態なら、生物の自然な行為として許されると。まあ、これは余談ですけど（笑）。

福岡　なるほど（笑）。

玄侑　色のうつろいのなかに境界を見るというのは、虹もそうじゃないですか。

福岡　ええ、虹も連続したスペクトルですが、人間の視覚はそれを五色、七色と、あたかもいくつかの色に分かれているように見てしまいます。私たちが見ているこの世界は、私たちが勝手につくり出した色の世界でしかないんです。他の生物は、それぞれ自分たちだけの色の世界をもっているわけで。

玄侑　人間の目に植物がなぜ緑色に映るかといえば、光の三原色のうち、緑系の光だけを反射するからですよね。反射された光エネルギーが空気中を伝わって網膜《もうまく》に届き、神経細胞によってさまざまなエネルギーへと変換され、最終的に脳内に画像を結ぶ。要するに、あるものが別のものと出合って変化していくことで、われわれにそのモノの色が見えるようになるんですね。

仏教では、まさにこのように、すべての現象は無常に変化しつつ、互いに関係し合うことで、生まれたり、消えたりすると考えます。そこには境界もポイントもないんです。

「因果律」は人間の抜きがたい性癖

玄侑　それにしても、生命について、福岡さんのような表現をされる科学者はこれまでいなかった。私から見ると、福岡さんのお仕事はとても仏教的なんです。こういわれるのは心外かもしれませんけど（笑）。

福岡　いえいえ。読者の方からも、「福岡さんは仏教徒ですか」と聞かれたことがあります（笑）。私自身は、仏教のことをよく知らないんですが。

玄侑　量子力学の確立に貢献した物理学者のニールス・ボーア（注1）なんかは、物理学のなかに仏教の「縁起」に通じるものを見て、東洋哲学に大きな関心をもっていましたよね。福岡さんにはちょっとそれに近いものを感じます。

福岡　私も初めは、まさに還元主義的、機械論的な生命観に立って、生物をどこまでも細かな要素に切り分ける作業をしていたわけです。でも、それを極限まで突き詰めて、いわば臨死体験をしたことで（笑）、生命はそれだけでは捉え切れないという考え方に行き着いた。ですから、最初から動的平衡のようなことを考えていたわけではないんです。

分子生物学では基本的に、AがBを成し、BがCを成すという因果律で世界を捉えます。でも、生命が流れである限り、そこに見える因果律は、一時的に釘づけされたものでしかないですよね。次の瞬間には因と果が逆転しているかもしれないし、因果自体、消えているかもしれない。こういう私の考え方が、仏教と馴染むのかもしれません。ただ、生物の体が要素の絶えず入れ替わる動的な状態にあることを示したのはルドルフ・シェーンハイマーというユダヤ人の科学者ですし、この世界そのものが流れであるという知見は古く西洋世界からも出ていますから、仏教に限らず、人類が太古から抱いていた世界観なのではないでしょうか。

玄侑 因果律というもの自体、人間の思考の習慣、われわれの脳に備わった抜きがたい性癖と見ることもできますよね。そして、それがいまの科学の土台になっている。

初期仏教の経典で「縁起」について語った部分に、「此《こ》れ有るとき彼有り、此れ生ずるに依《よ》りて彼生ず」「此れ無きとき彼無し、此れ滅するに依りて彼滅す」とあるんです。二つの文の前半部分はどちらも「同時」をいっていて、後半部分はともに「異時」、つまり因果律を表しています。

福岡 経典にそういう記述があるんですか。

玄侑 ええ。ですから、仏教では、因果の存在を一方で認めつつ、一方では、同時に起こる関係性にも目を向けてきたわけです。この「同時に起こる関係」というのは、科学では扱えないんですよね。例えば「自分がある問題を考えていたとき、たまたま別件で訪ねてきた人が、なぜかその問題に触れる」といった現象は説明がつかない。

福岡　そうですね。量子力学にはシンクロニシティのような概念がありますけど、あまりそこを強調すると、オカルトっぽくなってしまいますし。

玄侑　ええ。因果律だけで世界を見る人にとって、それは単なる偶然ということになるんでしょうね。うかがいたいんですが、心臓は、約一万個ものペースメイカー細胞が自律的に収縮することで動くといいますよね。しかも、それだけの数の細胞が同期していっせいに動いている。あれはどういう仕組みなんでしょうか。

福岡　心臓の細胞のなかには、筋肉をつくるような分子構造があって、その細胞に出入りするカルシウムの増減によって細胞が収縮するようになっているんです。それが自律的な動きにつながるわけですけど、なぜすべての細胞がいっせいに動くのかはわからない。仮にある細胞が隣の細胞に合わせて収縮すれば、サッカー場のウェーブみたいに動きがずれてしまいます。おそらく最初はずれていても、何らかの方法で互いに連絡を取り合い、共時的に振動する仕組みがあるんでしょう。

玄侑　いっせいに動いたほうがエネルギー的にも効率がいいわけですね。

福岡　動きがバラバラだと、互いに打ち消し合ってエネルギーのムダになりますから。ホタルの点滅もそうですけど、こうした同期現象は自然界にたくさん見られます。

玄侑　やはり、「同時に起こる関係」については、近いうちに福岡さんに語っていただきたいですね（笑）。

福岡　いえいえ（笑）。私もそれを正確に記述できるような、解像度の高い言葉はまだ見つけられていないんです。

先ほど人間がどのように色を感じるかというお話がありましたけど、仏教では「色《しき》」という言葉を、「相互作用によって生まれる現象」という意味で使ってきましたよね。ものごとの本質を見通す、この洞察力はすごいと思います。それに対して、近代以降の科学は、人類が大昔から何らかの形で気づいていたことを、新しくて格好のいい言葉に置き換えてきたに過ぎない。いわば、後出しジャンケンなんです（笑）。

「そう思う自分」も変化している

玄侑　福岡さんは、「生命が流れだ」ということをおっしゃるとき、鴨長明《かものちょうめい》の『方丈記』を引かれていますよね。「ゆく河の流れは絶えずして、しかも、もとの水にあらず。よどみに浮かぶうたかたは、かつ消え、かつ結びて、久しくとどまりたる例《ためし》なし」という、あの冒頭は見事だと思うんですが。

福岡　見事です。玄侑さんも、東日本大震災後に出版された『無常という力』というご著書で、『方丈記』を取り上げられていますよね。いまなぜ『方丈記』を通して「無常」を語ろうと思われたんですか。

玄侑　現代人にとって、自分が観察者となって移りゆく世の中を眺め、「世界は変化し続けている」と思うことは難しくないと思うんです。でも、「そう思う自分も、無常に変化しつつある」と知ることは決して簡単ではない。人間は、ついつい信念、確信、信条といった無常ならざるもので自分を支えようとしてしまいますが、東日本大震災を経て、そろそろそういう生き方を改めてもいいんじゃないかと思うんです。

とくに最近は、未来に対するシミュレーションが常態化しています。しかし、目標やマニフェストのようなものは、無常の目から見れば根拠のない虚像に過ぎません。むしろ、そのときどきの状況に合わせて揺らぎ、変わっていけることが本当の強さだし、それにはまず無常を受け入れることが大事だと思うんです。

福岡　何ごとにつけ、「こうに違いない」と思い込むところに間違いが生じるわけですからね。事実、私たちを構成する分子は無常に入れ替わっていますから、物質レベルで「自分」の一貫性を担保するものは何もありません。唯一、自己同一性を支えるものは記憶ですが、それすらも常時つくり替えられている。玄侑さんも、『御開帳綺譚』という小説のなかで、記憶の再現性をテーマに取り上げられていますね。

玄侑　はい、そのとおりです。読んでくださって、ありがとうございます。

福岡　記憶は揺らぎやすく、書き換えられやすい。物質的なことだけをいえば、一年前といまの私は別人です。だから、極論すれば、過去の約束は守らなくていい（笑）。

玄侑　「人が変わった」っていえばいい（笑）。

福岡　本当は、そういう生き方が許されてもいい。ただ、こういうものの見方は一つの思想ですから、一般に広く浸透させるにはかなり時間がかかるでしょうね。

揺らげ、揺らぎ続けろ

福岡　玄侑さんは、作家であると同時に思想家でもいらっしゃいます。震災直後から二〇一二年二月に復興庁ができるまで、東日本大震災復興構想会議のメンバーを務めておられましたけど、ご自身の思想と現場の要請とが折り合わないこともあったんじゃないですか。

玄侑　それはありましたね。例えば日本には、津波神社のように自然の脅威そのものを神として祀《まつ》る場所があるじゃないですか。

福岡　浪分《なみわけ》神社というのもそうですよね。

玄侑　ええ、浪分神社は仙台市若林区にあって、貞観《じょうがん》や慶長《けいちょう》大地震のときの津波はあそこまでやってきたといいます。津波のような自然現象に対して、「恐ろしいから祀る」という日本古来の文化や宗教は、恐ろしさをなくしたら途絶えてしまう。だから、「怯えは保たなければならない」といっても、とくに都市工学や建築関係の方々にはなかなかご理解いただけませんか（笑）。

福岡　それは難しそうですね。

玄侑　しかし一方、二〇メートルの津波が来た地域に二五メートルの防潮堤をつくるかというと、そうはならない。巨大防潮堤を築くのは自然と真っ向から対峙する発想ですが、それをやれば、その海はもう遊び場ではなくなります。海というのは、あれだけ荒れた翌日にもう凪《な》いでいる。そういう自然とどう向き合っていくべきか。一三〜一五メートルの津波に襲われた福島県北部の相馬港では、七、八メートルの防潮堤をつくることで落ち着きました。津波が来たら「逃げなければいけない」ことを前提にしつつ、台風の高波くらいは防ぎたい。何もせずにはいられないが、一五メートルを超える防潮堤をつくるのは日本文化に対して忍びないという、いじらしい数字だと思います（笑）。

福岡　なるほど。自然は動的平衡で成り立っていますから、われわれに唯一できることは、その平衡状態を乱さないよう、だましだまし付き合っていくことなんですよね。こういう発想も、公的な提言などには採用されにくいでしょうけど（笑）。

玄侑　難しいでしょうね（笑）。でも、いまはまさに「だましだまし」のような、否定的な言葉を復権すべきときだと思います。ＴＰＰ（環太平洋パートナーシップ注２）の問題も、被災地が依然としてこんな状態にあるときに、あまりテキパキ進めてもらっては困る。「グズグズ」「ウダウダ」、時間をかけて中身を検討してほしい。

あるいは放射能による汚染問題も、検出量ゼロより上がすべて悪いと決めつけるのは、やはり頭のなかのマッハ・バンドのなせる業《わざ》だと思います。ある程度は「わからない」状態のまま向き合っていく勇気も必要じゃないでしょうか。放射能は無常のなかにあって無常でないものですけど、この国がこれほど多雨であるために、初めての夏には阿武隈川から毎日五〇〇億ベクレルの放射性セシウムが流れ出ていた。その速度で土地が除染されていると思えば、希望がないわけではありません。海や漁師さんには本当に申し訳ないんですが、これもまた無常の力だと思うんです。

福岡　人間は、自然界のサイクルをはるかに超えるスピードで核分裂を起こさせることで、大量のエネルギーを手にしてきましたよね。そしてその代償として、何万年も消えずに残る放射性物質や、いつ発生してもおかしくない事故のリスクを背負い込むことになった。いま私たちは、科学の問題ではなく、科学の限界の問題に直面しているんだと思います。

この問題にどう対処するかは人それぞれですが、すぐに「科学的にどうですか」と答えを求めない、あるいは、与えられる答えを即座に信じ込まない心のあり方が、この世界に向き合う上でいちばん有効ではないかと思います。

玄侑さんがお書きになっているとおり、『方丈記』は冒頭だけでなく、終わりもいいんですよね。無常の世に質素な方丈で暮らすことの満足を語った後、「しかし、こういう暮らしを良いものとしてこだわることもまた執着ではないか」といっている。

玄侑 そして最後は、「ただ阿弥陀仏の御名を二、三度称えた」と終わるんですね。これが法然上人みたいに六万回も称えた（注3）となると、自力ということになりかねない。二、三度というのは、何もしないよりいいという姿勢です。「防潮堤七メートル」と一緒で（笑）。

福岡 ほどほどに（笑）。でも、こうした往還、ある種の迷い——先ほど「揺らぎ」といわれた——が人間の世界認識の本当のところでしょうね。

玄侑 ええ。私たちはいくらでも揺らいでいい、いや、むしろ揺らいだほうがいい。そう思えたら、いまよりずっと楽に、そして強く生きていけると思います。

注1：【ニールス・ボーア】一八八五～一九六二。デンマークの理論物理学者。量子論の立場から相補性原理を提唱。一九二二年、ノーベル物理学賞受賞。

注2：【TPP（環太平洋パートナーシップ）】TPP協定とは、協定を結んだ国の間で、関税やサービス、投資などさまざまな分野で自由化を目指す国際協定。二〇一六年、日本を含む一二か国が署名。一七年、アメリカが離脱。一八年、発効。

注3：【法然上人】一一三三～一二一二。浄土宗の開祖である法然は、「南無阿弥陀仏」を一日に六万回称えていたと伝わる。

第6章

ジャレド・ダイアモンド

（カリフォルニア大学ロサンゼルス校 地理学教授）

未来の知は「昨日までの世界」に隠されている

ジャレド・ダイアモンド

1937年アメリカ・ボストン生まれ。ハーバード大学で生物学の学士号取得後、ケンブリッジ大学で生理学博士号を取得。その後、進化生物学、生物地理学、鳥類学、人類生態学へ研究領域を広げる。カリフォルニア大学ロサンゼルス校医学部生理学教授を経て現職。アメリカ科学アカデミー、アメリカ芸術科学アカデミー、アメリカ哲学協会会員。アメリカ国家科学賞、タイラー賞、コスモス国際賞、ルイス・トマス賞など受賞多数。一般書も多く発表し、98年世界的ベストセラー『銃・病原菌・鉄』でピューリッツァー賞受賞。2019年ブループラネット賞受賞。他の著書に『文明崩壊』『昨日までの世界』『人間の性はなぜ奇妙に進化したのか』『危機と人類』など。

写真提供:文藝春秋

「現代のダーウィン」とは何者か

福岡　ダイアモンドさんは〝現代のダーウィン〟とも評されていますね。実際、ダイアモンドさんの作品が読書界に与えてきたインパクトは、西洋人が世界の覇者となった文明史の要因を、環境や生態系の条件に求めたという点で、『種の起源』をはじめとするダーウィンの著作に匹敵するものがあると思います。私もダイアモンドさんのご著書はほとんど拝読していまして、『昨日までの世界』にも強い共感を覚えました。そこで、今日はぜひここからお話をうかがいたいと思います。まず、ご自身はこの作品をどう位置づけていらっしゃいますか。

ダイアモンド　『昨日までの世界』の最大のテーマは、古今の「伝統的社会」の叡智を、われわれの生きる現代の工業化社会に反映させられるかどうかを模索することにあります。ここでいう「伝統的社会」とは、狩猟採集、農耕、牧畜などを生業とし、かつ西洋化された社会との接触が限定的な、数十人から数千人規模の社会を指します。この本は、そうした伝統的社会で私自身が見聞きした出来事をもとに、健康、子育て、高齢者、紛争解決など多岐にわたる分野でさまざまな論考を重ねたものです。その意味で、これまでの著作『銃・病原菌・鉄』『文明崩壊』に続く、私の理論の集大成といえると思います。

福岡　本書では、いまいわれたとおり、じつに多彩なテーマが縦横無尽に語り尽くされていますね。読んでいると、こんなことのできるジャレド・ダイアモンドとは、いったい何者なのかという気もしてきます。

ダイアモンド　では、ちょっとご説明しましょう（笑）。私はボストン生まれ、ボストン育ちのアメリカ人です。母はコンサートピアニストであり、また有能な言語学の専門家でもありました。父は小児科の医師として六六歳まで現役を続け、研究分野では血液の専門家でした。

福岡　ダイアモンドというお名前は非常に珍しいですが、父方のお名前ですか。

ダイアモンド　そうです。ルーツはウクライナなのですが、祖先がアメリカに移住してきた際、アメリカの係官がウクライナの名前、「ドュバイ」（魂の意味）の発音を聞き取れなかったそうです。それで近い言葉ということで、「わかった、わかった『ダイアモンド』さんね」と登録されてしまったというのが真相です（笑）。

福岡　そうだったんですか（笑）。いずれにしろ、うらやましいお名前です。

ダイアモンド　私自身についていえば、三つの専門分野があります。最初は父のような医者になるために医学部に進み、生物化学を専攻しました。これは私にとって第一の専門分野ですが、自身の研究室は二〇〇二年に閉じています。

福岡　私も分子生物学者なのでとくに興味があるのですが、具体的に何を研究されていたのですか。

ダイアモンド　胃腸や腎臓の膜組織について、糖やアミノ酸のような栄養素がどのように胃腸に吸収されるか、またその過程で人間のライフスタイルや環境がどう影響しているのかといったことを研究していました。

福岡　それは私の研究分野と大変近いですね。ダイアモンドさんがご著書のなかでさまざまな社会の食生活を取り上げ、そこで人々がどのように塩分や糖分を摂取しているかについて詳しく触れられている理由もわかりました。

ダイアモンド　一方、私は七歳のころから鳥類に興味をもち、五〇年ほど前から本格的に研究に取り組んできました。とりわけニューギニアの鳥類の研究はライフワークとなっていて、しばしば現地に調査に行っています。これが第二の専門分野です。鳥類のフィールドワークのために訪れた伝統的社会での経験が、これまで発表してきた著作に色濃く反映されているわけです。

それからもう一つ、一九八〇年ごろから、地理学、および環境歴史学に興味をもち、その研究を続けて、現在はカリフォルニア大学ロサンゼルス校（UCLA）の地理学教授という立場にあります。これが第三の専門分野です。いまの興味の中心は、この第三の専門分野、環境と人間社会の関係にあります。例えば、日本とイギリスはそれぞれユーラシア大陸の両端にあり、同じ島国で、環境こそ似ていますが、歴史的にはまったく異なる発展の仕方を遂げてきた。それはなぜか。そうしたことを自然実験的に比較して研究するわけです。

福岡　ダイアモンドさんは、これまでに何度も日本を訪問されていますね。

ダイアモンド　妻の親族が日本にいる関係もあって、個人的にも日本に対しては特別な関心をもっています。私のようなアウトサイダーから見ると、日本の強みは、一つの国のなかに伝統的な部分と現代的な部分がうまく共存し、その歴史においても、伝統に新たな要素を融合させ、選択的に取捨することで、自らを革新する能力を発揮し続けている点です。そこが非常に興味深いと思います。

「体罰」がない伝統的社会

福岡　『昨日までの世界』には、現代の日本社会にとっても示唆的と思われるテーマがたくさん見つかります。例えば、第五章では「子育て」について、伝統的社会で見られる具体的なケースが紹介されています。とくに印象的なのは、多くの伝統的社会では、いわゆる「体罰」が行われていないという話です。というのも、日本ではいま、子どもへの体罰が大きな社会問題となっていますので。

ダイアモンド　そのようですね。来日してからニュースで知りました。

子どもへの体罰をどうするかは、社会によって多様です。とくに現代的社会では、体罰に対する姿勢は、国、あるいは世代によって異なります。スウェーデンでは子どもへの体罰は法律で禁止されており、お尻を叩くような行為すら、児童虐待として刑事告発される。対照的にドイツやイギリスでは、体罰を与えない子育てより、体罰を与える子育てのほうがよいと考える人が少なくありません（注1）。私の友人にも、そう考える人はいます。彼らが好んで引用するのが、一七世紀のイギリスの詩人、サミュエル・バトラーの「鞭《むち》を惜しめば子どもはダメになる」という言葉です。結局のところ、この問題は、体罰なしの子育ては子どもを甘やかすことになるのかどうかというテーマにつながるのだろうと思います。

では、伝統的社会ではどうかといえば、私の知っているアフリカのアカ・ピグミー族では、子どもを絶対に叩かないし、ニューギニアのある部族に至っては、赤ん坊が鋭いナイフを振り回しても叱ることとさえしません。

福岡　体罰を容認する社会と、絶対に体罰を許さない社会があるとして、この二つを分けるものは何だとお考えですか。

ダイアモンド　私なりの仮説ですが、生業形態によるのかもしれません。同じ伝統的社会でも、狩猟採集民の小規模血縁集団では最小限の体罰しか与えず、農耕民の社会はある程度体罰を行い、牧畜民の集団は体罰を行う傾向が強いように見受けられます。

この違いを説明する理由として、集団の生業形態が変われば、子どもの過ちの影響（被害）の及ぶ範囲が変わってくるからということも考えられます。具体的にいえば、価値の高いものを所有している集団ほど、体罰をする傾向があるのではないか。例えば狩猟採集民はほとんど所有物をもたないので、子どもがいたずらをしても、その影響は本人にとどまります。しかし、高価な家畜を連れて歩く牧畜民の場合、子どもがいたずらで家畜を入れた柵を開け放ったりすれば、集団全体が甚大な被害をこうむることになります。

福岡　なるほど。ダイアモンドさんご自身が、子育てについて伝統的社会から学ばれたことはありますか。とくに体罰に対しては、どういうスタンスで臨まれてこられたのでしょう。

ダイアモンド　私の妻も、幼少期には親に叩かれることがあったそうですが、自分たちの子どもができたときには、二人で「絶対に子どもを叩くまい」と決めて、実際にそのとおりに育てました。私自身が、ニューギニアなどで体罰を与えなくても子どもが立派に育つ事例を見てきたので、それについては迷いがありませんでした。

福岡　まさに伝統的社会の叡智を現代社会に活用されたわけですね。結局、体罰をするかしないかは、子どもの自律性をどこまで尊重するのかと関わってきますよね。

ダイアモンド　そのとおりです。体罰のないニューギニアの伝統的社会における大人と子どもの関係は、私の目には素晴らしいものに映りました。ニューギニアでは子どもの独立心が非常に強く、自信をもって、自分のことは自分で決定します。ある一〇歳の少年は、親の許可をとることなく、私と直接交渉して、約一カ月間に及ぶ私のフィールドワークに同行しました。

　それに比べると、子どもの独立心を重んじるとされるアメリカ人の親でさえ、はるかに子どもを管理しています。「学校を終えたら、二時半からサッカー教室に行って、四時には音楽のレッスンに行きなさいね」という具合に。

福岡　確かにそうですね。

ダイアモンド　だから、私は自分の子どもに対しては、生命の危険のない限りは放任主義で育てました。すべてを自分で決める子どもになってほしいと願ったのです。その結果、どうなったか。上の息子は三歳のときに外でニシキヘビの死体を見つけてたちまち夢中になり、「ヘビを飼わせて」と私と妻に頼んできました。私も妻もヘビにそこまで興味はなかったので、正直、「どうしよう」と思いましたが、彼が自分で決めたことだからと、小さくて安全なヘビを買い与えました。その後、彼は結果的に、カエルやトカゲなど一四七匹のペットを飼うことになったんです。

福岡　じつは私も子どものころに、ルリボシカミキリという虫のあまりに鮮やかな青色に魅《み》せられたのがきっかけで、虫の世界に夢中になり、家中に虫を飼っているカゴを置いて、家族に嫌がられていました（笑）。結局、その延長でいまに至っているわけです。

ダイアモンド　ところが、息子の場合は、いまに至らないんです（笑）。彼の爬虫類《はちゅうるい》への興味は年齢を経るごとに失せ、大学を卒業したある日、私のところへ来てこういいました。「僕はプロのコックになりたい。ついてはある料理学校に行きたいんだけど、授業料が高いんだ。じつは明日までに払わないといけないんだけど……お父さん、お願いします」（笑）。

ちょっと驚きましたが、これも彼が決めたことだから、とやらせることにしました。いまではロサンゼルスでいちばんともいわれるレストランでシェフをしています。私の子育てが良かったかどうかは子どもたちに聞いていただくしかありませんが、大事なのは、彼が自分で決めたことで、現在ハッピーに暮らしているという事実だと思います。

「他人に迷惑をかけない」は世界の非常識？

福岡　子どもを育てるための規範は、社会によってだいぶ異なるのではないかと思うんです。例えば日本には、おそらく近代化以前から、子どもの教育方針として「嘘をつかない」「盗みをしない」「他人に迷惑をかけない」といった徳目があります。こうした徳目は、世界的に見ても特殊ではないかと思うのですが。

ダイアモンド　大変興味深いですね。ユダヤ教やキリスト教文化の基本となる「十戒」には、「嘘をつかない」「盗みをしない」は入っていますが、子どもに求めるものとしては、特殊だと思います。とりわけ「他人に迷惑をかけない」というのは、私も初めて聞きました。おそらくアメリカ人が子どもに教えたいことの、トップ二五にも入らないでしょう。ほとんどの西洋人にとって、他人に迷惑をかけるかどうかはどうでもいいことですから。

福岡　伝統的社会でも、こうした日本的徳目は重視されないんでしょうか。

ダイアモンド　そうですね。二つほど例を挙げましょう。これは、私自身が一〇年ほど前にニューギニアで活動していたときに聞いた話です。ニューギニアのある村で油田が見つかった。そこでアメリカの大きな石油会社が、開発の権利を買い取るため、優秀な国際弁護士を何人も現地に送り込んで交渉に臨んだことがありました。こういうと多くの人は、「素朴なニューギニア人が国際弁護士たちにしてやられたんだろう、かわいそうに」と思うかもしれませんが。

福岡　違ったのですね。

ダイアモンド　結果は逆です。ニューギニア人たちは、さまざまな交渉のスキルをもっていた。彼らがまずやったことは、嘘をつくことでした。アメリカ側が長い時間をかけてようやく合意にこぎつけても、次に会ったときには「そんなことはいってない」と反故《ほご》にされることの繰り返し。弁護士は交渉のプロですが、交渉の場で嘘をつかれることには慣れていません。そのためこの状況に対応できず、時間だけが過ぎていった。さらに弁護士は一時間八〇〇ドルで働いていますが、ニューギニア人には時間が無限にあります。結局、腕利きの弁護士たちが、皆、音を上げてしまいました。ニューギニア人にとって、大事なのは嘘をつかないことではなく、欲しいものを得ることだったのです。

福岡　日本人は、よく国際舞台で「交渉ベタ」と評されます。そのお話には学ぶべきところがありますね。

ダイアモンド　そこはぜひ、日本の皆さんが選択してください。もう一つ、ダニエル・エヴェレットという言語学者が、ブラジルのアマゾン奥地に住むピダハン族が子どもに何を望むかを調べた研究があります。それによれば、彼らが優先するのは「独立性」「タフで強いこと」「自分で生きていけること」だった。日本人の徳目である「他人に迷惑をかけない」、あるいは「嘘をつかない」といったことは入っていなかったはずです。つまり、ジャングルの過酷な環境――ジャガーや毒ヘビ、毒虫などの危険な生物にいつ襲われるともわからず、伝染病や洪水が絶えず起こりうる――においては、自分の力でサバイバルできることが最も重要視されるわけです。あなたがいわれたとおり、子育てにまつわる価値観は社会ごとに大きく異なるのです。

高齢者を生かすか、殺すか

福岡　『昨日までの世界』では、高齢者の問題も扱われていますね。第六章のタイトルには、「高齢者への対応――敬うか、遺棄するか、殺すか？」とあります。このテーマも、世界に先駆けて少子高齢化社会に突入する日本にとって、とても重要です。

ダイアモンド　私のところにはよく日本の方々から、「高齢者の経験を社会にどう役立てればいいのでしょうか」という質問が届きます。ですから、この章がそのヒントになればいいなと思います。

高齢者問題について語る前に、何歳をもって高齢者と見なすかも社会によって異なることを知っておかねばなりません。アメリカでは、連邦政府によって六五歳以上が高齢者と定められ、この歳から社会保障年金が受け取れることになっています（注2）。それに対し、ニューギニアでは六〇歳まで生きる人さえ稀《まれ》です。そのため、かなり以前、私がニューギニアの村を訪れたときは、村人たちから「半分死んでいる」といわれました。

福岡　当時おいくつだったんですか。

ダイアモンド　まだ四六歳でした！（笑）　平均寿命が四〇歳以下の国ですから、その反応もやむを得ません。それでも、調査したどの村にも七〇歳を超える老人が一人か二人はいて、ほぼ例外なく、村の暮らしのなかで重要な役割を担っていました。

例えば、私がソロモン諸島のレンネル島に滞在したときのことです。中年の島民たちが私にどの植物が食用になるかを説明してくれたのですが、そのなかに一つ、「フンギケンギの後にだけ食べる」というものがありました。フンギケンギという言葉は初めてです。そこで、普段は食べられないものがどうしてそのときは食べられるのかと尋ねると、足腰もままならぬ老婆のもとに連れていかれ、「フンギケンギのことなら彼女に聞け」といわれました。話を聞いてわかったのは、フンギケンギとは大きなサイクロンのことで、その植物は、サイクロンで畑が破壊され、食物がないときに仕方なく食べるものだったということです。この老婆は、約六〇年前のフンギケンギを経験した、村で唯一の人物だったのです。

福岡　日本では、津波被害の多い土地に「津波てんでんこ」という古老の教えが伝わっています。これは、津波に襲われたときは、他人にかまわず、それぞれがバラバラに逃げよというものです。二〇一一年の東日本大震災では、この教えにより救われた命も多かったそうです。災害を生き延びた高齢者の知恵は、どんな社会でも継承されていくんですね。

ダイアモンド　高齢者というのはサバイバルに成功した人々ですから、若者にとって価値ある知識をたくさん蓄えているわけです。いわばその集積こそが、高齢者の価値だといえる。しかし、文字で記録を残さない伝統的社会に比べ、本やインターネットからいくらでも情報を得られるわれわれの社会では、残念ながら高齢者の経験の価値は減る傾向にあります。もちろん、高齢者の存在そのものの希少性も、伝統的社会に劣ることはいうまでもありません。

福岡　ダイアモンドさんはこのご著書のなかで、高齢者を「お荷物」と見なして遺棄したり、殺したりする伝統的社会のケースも紹介されています。

ダイアモンド　重要なことは、伝統的社会に見られる高齢者への対応のなかから、われわれが何を選び、何を学ぶかだと思うんです。子どもが親を遺棄したり、殺害したりする社会とは、果たしてどんな社会か。一言でいうなら、高齢者の存在が深刻な足手まといになる社会です。例えば移動型の狩猟採集民は、野営地から野営地へ移動しながら生活を営んでいる。その移動についていけない高齢者は、集団にとって大きな負担と見なされます。あるいは、北極圏や砂漠地帯など食料の乏しい地域では、食料不足に陥ると、社会にとって用済みの人間や食料確保に貢献できない人間は切り捨てられてしまいます。

福岡　日本にも、家族の食い扶持《ぶち》を確保するために高齢者を山に置き去りにする、「姥捨《うばすて》て山」という民話が伝わっています。

ダイアモンド　高齢者を意図的に置き去りにする例は、カラハリ砂漠のサン族や北アメリカのオマハ族、南アメリカ熱帯地方のアチェ族でも報告されています。アチェ族の場合、たいていは野営地を移動するときに弱って動けなくなった老人に、少しの薪と食料と水を残し、自力で追いつけたらまた合流させます。あるいは稀に高齢の男性――女性は単に殺されてしまいます――を、彼らが「白人の道」と呼ぶ西洋人の行き来が頻繁な道まで連れていき、そのまま置き去りにすることもあります。その老人のその後を知る者は誰もいません。

いずれにせよ、集団全体を養うだけの食料をもたない社会の人々にとって、他にできることなど存在し得ないのが現実です。余剰食料と医療保障がある社会で生きるわれわれは、単に幸運なだけといえるのではないでしょうか。

生殖能力を失ったメスが担うもの

福岡　じつは東京都の元知事が、ある科学者から聞いた話として、「メスが生殖能力を失っても生きているのは人間だけで、それは社会にとってはムダなこと」という趣旨の発言をして、物議をかもしたことがあります。ダイアモンドさんが知る限り、出産を終えた女性が長生きするのはムダだと考える伝統的社会はありますか。

ダイアモンド　元知事が本当にそういう発言をされたのだとすると、驚くべき無知といわざるを得ませんね。

まず閉経というものがなぜ起こるのか。これは完全に生物学的な問題です。女性には、男性と違って出産により命を落とすリスクがあります。高齢になれば出産に伴うリスクが増すので、自らの命を守るために閉経という現象が起こる。単に自分の命を守るだけではありません。そうやってできた時間を使って、子どもや孫の面倒を見ることができます。アフリカのクン族は、祖父母が孫の面倒を数日間連続で引き受けることで、その孫の両親は泊まりがけで狩猟採集に出かけられるのです。また、サモア人の高齢者がアメリカに移住してくる主な理由は、孫の世話をするためです。

福岡　つまり、伝統的社会にあっても現代的な社会にあっても、祖父母が孫の世話をするのは、生物学的な観点からも、理にかなったことといえるわけですね。日本では、新しい政策として、祖父母が孫に贈与する教育資金に対しては一定額まで課税しないことを打ち出しました。これは、生物学的に理にかなった政策になるでしょうか。

ダイアモンド　そうですね。それはとても妥当な政策ではないでしょうか。アメリカにも「generation-skipping transfer tax」（世代間財産移転税）という同じ趣旨の法律があります。祖父母の世代が所有している資産が、孫の世代にそのまま継承されて良い方向に働いている事例は世界でも枚挙にいとまがありません。

一方で、私は現代社会における高齢者問題の本質は、高齢者が孤立していることにあると思っています。

いま私たちの社会では、人類史上かつてないほど人が長生きしています。また、社会自体が豊かで、食料のために高齢者を殺す必要もありません。にもかかわらず、高齢者が社会的に提供可能だった伝統的価値の大半が失われ、健康なのに老人養護施設などで孤独な老後を過ごす高齢者が増えている。この現状をどうすれば打開できるのか。解決策の一つが、伝統的な祖父母と孫とのつながりの復活だと思います。ことに日本では、今後、労働人口が減少していくことが確実です。女性の社会進出も期待されていますから、最高のべビーシッターとして、祖父母の役割はより重要になるのではないでしょうか。

福岡　もう一つ、高齢者にとって仕事とは何かを考え直す必要もありますね。日本では定年退職制度のようなものが、高齢者から仕事という社会とのつながりを強制的に奪っている面があると思います。

ダイアモンド　ええ、それはひどい話だと思います。六〇歳とか六五歳という、私にいわせれば、能力と健康のピークにある人たちを一律に退職に追い込むわけですから。こうした制度の存在は、日本の社会にとって大きなロスではないでしょうか。

世界は「たまたま」こうなっている

福岡　これまでにダイアモンドさんのご著書を拝読し、またこうして直接お話をうかがって共感するのは、ダイアモンドさんがこの世界を非常に多元的に捉えておられる点です。一つ、こんな質問をさせてください。もしも三八億年前に地球上に最初に生命が誕生した瞬間まで時計を巻き戻し、この三八億年とまったく同じ環境要因をすべて与えたとしたら、いまと完全に同じ世界が出現すると思われますか。

ダイアモンド　いいえ、そうは思いません。その世界はおおいに異なるのではないでしょうか。例えば、六五五〇万年前にメキシコ湾に落ち、恐竜を絶滅させたといわれる隕石の落下点がわずかにずれていただけで、私とあなたのような人間同士がいまこうして語り合っている状況はなかったかもしれない。すべては偶発的な要素の積み重ねで起こります。人間がこのような発展の仕方をし、現在のように地球を支配するようになったことも、偶然の結果だと思います。

福岡　そのお答えを聞いて、とてもうれしく思います。というのも、ある種の人間主義者の人々は、同じ環境さえ与えられれば、必ずいまと同じ人類が現れ、いまと同じように地球を支配すると頑《かたく》なに信じていて、私はそれにやや食傷気味なのです（笑）。

私自身は、世界は「動的平衡」で成り立っていると考えています。ある原因が必ずある結果を生むのではなく、さまざまな因果関係が絶えず複雑に絡み合い、影響し合った結果、世界は「たまたま」こうなっている。ダイアモンドさんも、いわゆる伝統的社会とわれわれの生きる現代的社会を分けたものは、地理や気候、環境といった偶然の条件によるもので、それぞれの社会に優劣はないと主張されています。つまり、発展史観に立っていない。

そこに強く惹《ひ》かれます。

ダイアモンド　そうですね。私やあなたの生きる社会は、人類の文化的多様性からすれば、全体のごく一部に過ぎません。その一部の社会が世界にこれだけの影響力をもつに至ったのは、たまたま生産性が高く、栽培しやすい野生植物などがある地域に存在したからです。そこに暮らしていた人々は、ワイルドライスを育てたり、鳥や豚を飼育したりすることで食料を確保することができた。それによって人口を増やし、やがて、よりシンプルな社会で暮らしていた人々を征服していきました。この世界のある地域が現代的な社会になり、別の地域がならなかった理由は、そこに住む人間の優劣とは無関係です。早くから農業を発展させ、政治的にも軍事的にも優位に立てたからに過ぎないのです。

福岡　だからこそ、それぞれの社会が他の社会に学ぶことができるわけですね。

ダイアモンド　そのとおりです。すでに見てきたように、成功を収めたはずの私たちの社会が、いまや子育てや高齢者の問題、あるいは、あちこちで繰り返される紛争や先進国特有の健康問題などを抱えて行き詰まっています。一方、この地球上にはいまも伝統的社会が数千と存在し、それらの問題に対するじつにさまざまな解決策をもっている。もちろん、素晴らしいことばかりではありません。高齢者や嬰児《えいじ》殺し、飢餓や感染症に怯える生活など、伝統的社会の習慣の大半は、失ってよかったと思えるものばかりです。それでもそこに蓄積された叡智に学ばない手はない。私が伝えたいのはそれだけなのです。

注1：【ドイツやイギリスの体罰】現在ではドイツやイギリスにおいても法律で体罰が禁止されている。ドイツでは二〇〇〇年の法改正で体罰が禁止された。イギリスでは一九八六年以降、公立学校（国から資金援助されている学校）で体罰が禁止され、それ以降段階的に禁止される対象が広がった。現在では、ほぼ全面的に禁止されている。

注2：【アメリカの社会保障年金受給年齢】現在、社会保障年金の受給年齢は出生年によって異なり、六七歳まで段階的に引き上げ中である。

第7章

隈研吾（建築家）

建築にも新陳代謝する「細胞」が必要だ

くま・けんご

1954年神奈川県生まれ。79年東京大学大学院工学系研究科建築学専攻修了。コロンビア大学客員研究員などを経て90年隈研吾建築都市設計事務所設立。東京大学工学部建築学科教授などを経て、現在、東京大学特別教授・名誉教授。作品に「亀老山展望台」「森舞台/伝統芸能伝承館」「那珂川町馬頭広重美術館」「根津美術館」「梼原・木橋ミュージアム」「第五期歌舞伎座」「ブザンソン芸術文化センター」「マルセイユ現代美術センター」「国立競技場」「高輪ゲートウェイ駅」「角川武蔵野ミュージアム」など。日本建築学会賞、毎日芸術賞、芸術選奨文部科学大臣賞ほか受賞多数。2019年紫綬褒章受章。21年アメリカ「TIME」誌の「世界で最も影響力のある100人」に選ばれた。著書に『負ける建築』『自然な建築』『小さな建築』『建築家、走る』『点・線・面』『隈研吾による隈研吾』『日本の建築』など。

撮影:栗原克己

「部分」だけを取り替える知恵

福岡　今日は青山の隈さんの事務所にお邪魔していますが、そこに置いてある組み木みたいなものは何ですか。

隈　「CIDORI（チドリ）」といいます。飛驒高山《ひだたかやま》に伝わる「千鳥」という玩具をヒントにした木製フレームで、クギもネジも使わず、一つのジョイントに三本の棒を挿して結合できるようになっています。

東日本大震災の後、被災者を支援し、また東北の職人技を復興に生かそうと、「Ｅ.ｊｐ（East Japan Project）」というプロジェクトを始めたんです。これはその一つとして東北の職人さんにつくってもらい、インテリアショップなどで販売しています。組み合わせ次第で、テーブルにも本棚にも建物にもなる。実際に、これで愛知県春日井市にプロソリサーチセンターという研究施設をつくりました。

福岡　飛驒高山には、からくり人形の伝統がありますからね。これは同じサイズの「部分」を組み合わせることで、どんどん大きくしていくことができるわけですね。全体が組み上がってから、部分的に取りはずすこともできますか。

隈　慣れれば簡単です。近代のプロダクトは椅子なら椅子にしか使えないようにデザインされていますが、このプロジェクトでは、できるだけ何にでも使えるフレキシブルなデザインを提案して、省資源、省エネルギーも訴えていきたいと思うんです。

福岡　その隣に置いてある竹カゴは？

隈　東北の竹細工店を回って、気になったものを集めてきました。カゴは運搬《うんぱん》の道具にも、収納にもなる。竹細工なら、複数の機能をもつ道具もつくれるんじゃないかと。

福岡　私も以前、テレビ番組の取材で熊本県の水俣市に行ったんです。水俣は水俣病で知られるようになってしまったため、海辺の町というイメージが強いんですが、じつは八割が山林です。その山深いところ、段々畑ときれいな湧き水のあるエリアを訪ねると、竹細工の工房がありました。驚いたのは、そこでつくられている竹カゴは、四隅や接地面などの擦り切れやすい部分をはずして、そこだけ交換ができる。そうして大事に使えば一〇〇年もつというんです。実際に、農家の人たちが先祖から伝わる昔の竹カゴを使っていました。

CIDORI（Milano Salone 2007）
ⓒDaici Ano

そういう修復性、可変性は日本文化の知恵ですよね。だから、隈さんが日本人の暮らしにもともとあった素材を探してきて、家具から構造物までつくろうとしているのはとても面白いし、理にかなっていると思います。

隈　なぜそういうアプローチを考えたかというと、東日本大震災の復興問題はあまりに複雑で、被災者の生活を立て直す大きなプランをつくるには、かなり時間がかかると思うんです。その間、少しずつ模様替えをしながらでも、できるだけ気持ちよく暮らしたいというのが人間の自然な感情ですよね。ならば、そのための道具や素材が必要じゃないか。そこには地元の人たちのセルフメイドの要素が入っていたほうがいいと思うんです。

「新陳代謝」できないカプセル

福岡　いまのお話と関係するんですが、以前、六本木の森美術館で開かれた『メタボリズムの未来都市展』（注1）という展覧会に行ったんです。「メタボリズム」（注2）というのは、日本が高度経済成長に向かうころ、メタボリズム（新陳代謝）という生命原理から建築や都市を構想した運動ですよね。例えばカプセル型の部屋を一単位として、古くなった部分を入れ替えながら、建物自体が新陳代謝していく。黒川紀章さんが東京の銀座に設計した集合住宅「中銀《なかぎん》カプセルタワービル」が代表例ですけど、展覧会では、他に運動に関わった建築家として、菊竹清訓《きくたけきよのり》、大高正人、槇文彦といった人々が紹介されていました。

まさに都市がこれから拡張していこうとする時代に、建築や街づくりに「生命的なもの」を求めた、その志はよかったと思うんです。ところが実際には、それらの建築物は一度も新陳代謝せずに、つまり、古くなった部分が取り替えられることなく終わってしまった。隈さんは、あれはなぜだと思われますか。

隈 あの運動は、一口にいって非常に頭でっかちなプロジェクトだったんです。二〇世紀初頭にヨーロッパでスタートしたモダニズム建築は、基本的に一度つくったら永遠に残る「作品」と考えられていました。その意味では、一九世紀以前の古典主義建築と同じ時間概念に支配されていた。間仕切り壁で空間を変えるような提案はあっても、時間とともに建築がどう変化すべきかといった問題意識はありませんでした。

それに対して、メタボリズムの運動を始めた日本の建築家たちは、より生物的な視点から建築そのものを変えていこうとした。背景には、当時流行していた機械的な建築観や、丹下健三による都市デザインへの批判もありました。丹下健三の街づくりといえば、一九六一年に打ち出された「東京計画1960」が有名ですけど。

福岡　皇居の正面から千葉県の木更津《きさらづ》まで、東京湾を横断する帯状の海上都市をつくろうという巨大計画ですよね。中央に脊椎《せきつい》動物の背骨みたいな太い軸が通っていて、その両側にあばら骨のような形で都市が広がっている。

隈　メタボリストたちはそういう拡張志向のアーバン・デザインに対して批判精神をもっていたわけです。ところが、実際に彼らから出てきたのも、極めて都市的な提案でしかなかった。何より、技術的にもコスト的にも、一度固定されたカプセルを付け替えるのは不可能だった。クレーンを使って部屋を取り替えるなんて、非現実的ですからね。要するにあの運動は、宣言と行動がはなはだ乖離《かいり》していたために発展のしようがなかったんです。

　そんなおおげさなことをしなくても、街をよく観察すれば、建物はどんどん入れ替わり、勝手に模様替えしている。都市は、自然に新陳代謝しているわけです。

とりあえずここに寝床をつくろう

福岡　僭越《せんえつ》ですが、生物学者としてあの運動を見ると、メタボリストたちが考えた「新陳代謝」は、生物のそれとはまったく次元が違ったと思うんです。生物の細胞内では、タンパク質や遺伝子の「粒」が常に少しずつ入れ替わっています。それも、カプセルのようなレベルではなく、あくまで目に見えないミクロなレベルでの営みだから、外からは細胞が変化しているようには見えない。そのじつたえまなく進行しているのが生物の代謝だし、その変化こそ生命そのものだといえます。生物は、まさにこの方法によって、何十年もメンテナンスフリーで生き延びられるわけです。

その意味で、メタボリズム運動には、明らかに「粒」のレベルの錯誤があった。建築が、果たしてどこまで小さな「粒」の単位を見出せるかはわかりませんが、少なくとも隈さんが提案されているように、人間に扱えるサイズのユニットを組み合わせたり、取り替えたりするほうが、ずっと本物のメタボリズムに近いと思うんです。

隈　おっしゃるように、建築をつくるとき、「粒」のレベルをどこに設定するかは、とても大事な問題ですね。僕らの生活のなかでいちばん新陳代謝しやすい「粒」といえば、家具や電化製品でしょう。かつて建築家は、建築という枠のなかだけでものを考え、生活の道具には目もくれなかったから、強引にカプセル、すなわち部屋ごと新陳代謝させようとしちゃった。でも最近は、部屋と家具という境も消えて、より自由な発想ができるようになっています。

福岡　被災地の復興について、「粒」を生かすプランは他にもあるんですか。

隈　震災の後、伊東豊雄さん、山本理顕《りけん》さん、内藤廣さん、妹島和世《せじまかずよ》さんと僕の五人の建築家仲間で、「帰心の会」という会をつくったんです。その活動の一つとして、被災者のために「みんなの家」（注3）と名づけた集会所をつくるプロジェクトが進んでいます。伊東豊雄さんが設計して仙台市内に建てられたものを筆頭にいまも建築が進んでいますが、僕は、水ブロックを使って建物をつくる準備をしています。

福岡　水ブロック？

隈　なかに貯水できる、ポリエステル樹脂製のブロックです。一〇センチメートル角で、長さ四〇センチメートルぐらい。細胞みたいに積み重ねれば、棚でも寝床でも建物でもつくれます。それぞれに弁がついていて、つなぐと壁面全体に水を循環させることもできる。その水を温めれば、生物が発熱するのと同じ原理で建築そのものが温かくなります。ブロック内の水は生活用水として使えて、いざとなれば飲むこともできる。生物と同じやり方で、生き延びることができるんです。

以前、このブロックを使って実験住宅をつくったときは、外側にジッパーで閉まるレインコートを着せました。ちょうど人間が洋服を着るみたいに。

福岡 ミクロな目で見れば、生物の体は細胞の「粒」の集まりでしかない。人間も、裸だと隙間だらけですからね（笑）。メタボリズム運動のカプセルに比べ、水ブロックのようなものはサイズが等身大で、しかも手軽に交換可能ということですね。

隈 はい。こういう素材として、他にも、温度によって硬度が変わる形状記憶合金の針金なんかがあります。以前、その針金を輪状にしたものをプラスティックのテグスでつないでいき、ドーム型のパビリオンをつくりました。これでつくった建物は、気温の変化によって、まるで生き物みたいにグニャッと変形します。

福岡 隈さんは、何かのインタビューで、ル・コルビュジエが一九三〇年代にアルジェリアの都市計画をつくったときの話をされていましたよね。

隈　ル・コルビュジエが自分のつくった計画をアルジェリア政府に見せたら、「こんな壮大な計画はいつできるかわからない」といわれたという話ですね。それに対してル・コルビュジエは、「いつできるかはわからないけど、明日からでもとりかかれます」と答えた。

福岡　いまいわれたような素材を使えば、それこそ明日からでも、「とりあえずここに寝床をつくろう」「とりあえずここを壁で囲もう」ということができますね。小さな「粒」がその場その場の必要に応じて増殖し、結果として家や街ができていくのは、とても発生的、生命的な発想だし、未来につながるコンセプトだと思います。

「等身大」から出発する建築

隈　こんなふうに小さな単位の組み合わせで物をつくることが面白いと気づいてからは、「メタボリズム」も、もう少しうまくやれそうな気がしてきました（笑）。

福岡　そうですね。「ネオ・メタボリズム」ができるのではないですか。

隈　ただ、こういう素材が使えるようになったのは、現代の技術力のお陰でもあります。

昔は、建築の発想は生命的でも、部材をボルトで留めたりしていたから（笑）。

福岡　ボルトを使えば、生物的な可変性が失われる。DNAの二重螺旋《らせん》も、絡み合う二本の鎖を無理に剝がすのは難しいけど、ある場所を起点にほどくと、ジッパーをはずすようにスルスルとほどけます。タンパク質の塊も、どこかを少し動かすとパラパラとはずれる、寄木細工のような構造をしている。生物の細胞や分子は互いに固定されているわけではなく、互いにゆるゆるやわやわに組み合わさっているんです。

それにしても、隈さんのように、生物的なものに親和的な建築家は珍しいんじゃないでしょうか。建築学科はたいてい工学部のなかにあって、建築家には圧倒的に数学的な頭脳の人が多いから。

隈　いや、僕は、子どものころは獣医になりたかったんです。小学生のころ、ピアノを習っていて。

福岡　そうなんですか。じゃあ、ピアノも弾けるんですか？

隈　いまは弾けませんけどね。そのときピアノを教わっていた先生が、動物病院の奥さんだったんです。もともと動物が好きだったんだけど、そこで動物をたくさん見て、獣医に憧れました。ところが、東京オリンピックのときに丹下健三が設計した代々木競技場の体育館を見て、ガーンと……。建築家を目指すことになっちゃった（笑）。

福岡 あの吊り屋根がよほど衝撃だった（笑）。

隈 あれでおかしくなりました（笑）。

福岡 隈さんも、以前は、いまと違って、コンクリートを使った近代的なビルを設計されていましたよね。それが、あるときから可能なかぎり周囲の環境に合わせる、受動的で柔らかな建築を志すようになった。これをご自身で「負ける建築」と呼んでいらっしゃいますが、この方向を目指すにあたっては、何かコペルニクス的転回みたいなものがあったのでしょうか。

隈 僕もバブル期までは、建築の素材といえば、コスト面からいっても、耐火性の点から見ても、コンクリートしかないと思っていたんです。ところが、バブル崩壊後、東京に仕事がなくなった。そのとき知人を介して知った高知県檮原町《ゆすはら》から、地元の杉を使って交流施設をつくってほしいという依頼を受けたんです。

木材でも、集成材なら好きなサイズにして使える。集成材というのは、木をコンクリートみたいに固めて規格化する近代技術の産物です。でも、その町には集成材の工場がなかった。そこで、長さも幅も限られた杉の材木を使って建物を建てました。その結果、おのずと建築の単位が小さくなり、空間の印象も優しくなった。さらに地元の竹細工職人に家具や間仕切りをつくってもらったら、これが軽やかで美しい。人がそれを「軽やかだ」「美しい」と感じるのは、その素材の粒子の細かさや扱いやすさを感じ取るからじゃないでしょうか。そうして小さな部材で建物をつくるうち、周りの樹木の寸法に合わせたほうが、すっきりすることに気づきました。それが「負ける建築」という発想につながったんです。

福岡　英語で「等身大」を「lifesized」といいますけれど、やはり素材は人間に扱いやすいサイズであることが大切なんですね。

隈　ええ。例えば木なら、大人が二人いればなんとか動かせる。人間の体のサイズを考えれば、人が建材に木を選んだのは、極めて適切な選択だったんじゃないでしょうか。

利用し、改良し、生き延びる

福岡 ところで、東北の被災地復興に関して、グランドデザインをつくることについてはどう思われますか。

隈 おそらくそれができないから、復興にこれほど時間がかかっているんですよね。いまの日本のシステムでは、マスタープランがないと予算が付かないのが問題です。説得力のあるプランがあれば二〇兆円でも用意できるはずだけど、それがないから補正予算もしょぼくなり、気分も沈んで政治批判が強まる。それより、「全員が満足するようなマスタープランはできない」という前提に立って、場所に応じてだましだまし復興する形にしたほうがいい。そこでつくるものには、新陳代謝ができる仕組みをあらかじめインプットしておく。そのほうが、はるかに時代に合っていると思います。

福岡 私もそう思います。「だましだまし」は、地球上の生物が、三八億年の進化の歴史のなかで採用してきた方法でもあります。例えば人間の体は、およそ三七兆個の細胞でできています。それらが精妙に役割分担をしているので、あたかも最初から綿密に設計されてできたように見える。でも実際には、たった一つの受精卵が分裂を繰り返すなかで、互いに周りの細胞と相談しながら、少しずつ役割を決めて出来上がっていったものなんです。

生物の環境への適応も同じで、恐竜は、鳥類と同じく非常に効率よく酸素を吸収できる呼吸システムをもっていたために、どんどん巨大化していきました。ところが、いまから六五五〇万年前、隕石の衝突によって地球が寒冷化したとき、彼らはまさにその大型化のため、急激な環境変化に適応できず絶滅した。その後は、恐竜の足元でチョロチョロ逃げていたような哺乳動物たちが、新たなニッチを捉えて台頭していきました。

現代から過去をレトロスペクティブに振り返ると、まるで合目的に進化したように見えても、じつはそのときどきで行ける方向に行っただけ。生物の進化は、転用と代用、バックアップとバイパスの連続です。それこそ「負けた者」の、その場しのぎの歴史なんです。

隈　学校の授業では、生物を何か完璧《かんぺき》なもののように習うけど、違うんですね。

福岡　アップルの創業者スティーブ・ジョブズが、二〇〇五年にスタンフォード大学の卒業式でした有名なスピーチがありますよね。

若いころ通っていた大学を半年で退学したジョブズは、その後も大学の授業に顔を出し、そこで偶然カリグラフィーの講義を受けた。西洋には羊皮紙の時代から文字を美しく書くための文化的な蓄積があって、授業は面白かったけど、それはそれで終わってしまった。もちろん、それが何かに役立つとも思わなかった。ところがその一〇年後、最初のマッキントッシュ・コンピューターを設計していたとき、ジョブズはそのことを思い出し、かつて授業で得た知識をすべて注いで、世にも美しいマックのフォントを生み出す。いまやっていることの意味がわからなくても、思わぬ形で次につながることがある――これを彼は「connecting the dots（点と点がつながる）」といい、「先が見えなくても、いまを信じて頑張れ」と学生を鼓舞するわけです。

このスピーチでは「Stay hungry. Stay foolish」という言葉が有名です。でも、私はこちらのほうがすごいと思う。

隈　ジョブズはまさに、生物の進化についていっているわけですね。

福岡　はい。生物も個人も、先を見通すことはできない。できるのはせいぜい、いまあるものを利用したり、改良したりすること。そうして生き延びてゆくことなんです。

真っ白な紙なんてどこにもない

隈　いまいわれたことは、建築をつくるときも同じです。出来上がった建築物を見ると、あたかも完璧なロジックにもとづいて一つひとつのプロセスが決まり、最終的に完成に至ったかのように見える。でも、実際には、途中で野垂れ死にしたりしないように、ひたすらそのときどきの条件と折り合いをつけながら、必死でやっていくわけです。

福岡　被災地の復興も、それぞれの土地に暮らす人たちが、自分たちにとって本当に必要なものを復興していけばいいんですよね。そのための素材となるものを、隈さんたちが提案している。大切なのは、利用する人が自在に操れる可変性。街も、そうやって再興できればいい。そもそも街って、誰が設計しなくても自然に発生するものじゃないですか。戦争で焼け野原になった東京も、それぞれが好き勝手につくり直していったせいで、雑然とはしているけれど、とても面白い街になったわけだし。

隈　少なくとも、全体を統括するマスタープランをつくれると考えるのは、都市計画を学び始めた学生と同じレベルなんですよね。学生は真っ白な紙にすごい絵が描けると思っちゃうけど、交通とかエネルギーとか、既存のものをどう生かすかという問題もあるし、東北の場合、地震と津波で壊れたといっても、流されたのは表層で、街の重要な部分は残っているわけですし。

福岡　かつての道は、いまも道としてあるということですね。

隈　真っ白な紙なんて、どこにもない。消えたのは上物だけで、街の骨格も、人が暮らしてきた歴史もそこにある。そういうものにどう手を加えていくかが復興だ、という発想に立つべきじゃないでしょうか。ただ、いまいったように、問題はそのための資金です。「だましだまし」のプロセスは予算化のしようがない。逆にいえば、予算というシステム自体、もう時代に合わないのかもしれません。

福岡　最初に着手金だけ用意して、「足りなくなったから、またください」という方式にしたほうがいいのかもしれませんね。その上で、各地域が「細胞」単位の復興を目指しながら、外に向けて伸ばした継ぎ手で互いに結び合えるようにしておく。「明日からでもできる復興」がそこから始まりそうです。

ところで、隈さんの最近の作品で、小さな単位を意識したものはありますか。

隈　二〇一二年四月にオープンした新潟県長岡市の「アオーレ長岡」は、市庁舎も入る四階建ての複合施設です。建物は大きいけれど、その外壁は小さなピース、具体的にはウロコみたいな木のパネルで覆うデザインにしました。それから東京都台東区の「浅草文化観光センター」。こちらも大きな建物を小さな単位に分節することをテーマに、七つの平屋を積み重ねた形にしています。外側は細かい木の格子を使っていて、各階の屋根と床との間の隙間は、空調の室外機なんかを置ける設備スペースになっている。生物でいえば、皮膚の隙間から排泄《はいせつ》するイメージでしょうか。

福岡　それは拝見するのが楽しみですね。どうぞこれからも、新しい「粒」を発見して、生命的な建物をたくさんつくってください。

隈　ええ。ただ、目に見えないレベルで変化する生命的な建築って、展覧会には向かないですね。模型を見せても、あまり喜ばれない気がする。『メタボリズム展』と違って（笑）。

注1：【メタボリズムの未来都市展～戦後日本・今甦る復興の夢とビジョン】森美術館にて二〇一一年九月一七日から一二年一月一五日まで開催された。

注2：【メタボリズム】一九六〇～七〇年代、丹下健三に影響を受けた黒川紀章、菊竹清訓、大髙正人、槇文彦らが展開した建築運動。社会や家族の変化に合わせ、有機的に成長する建物や街を提案した。黒川紀章が設計した「中銀カプセルタワービル」は二〇二二年に解体されたものの、一部のカプセルが美術館などに保存されている。

注3：【みんなの家】二〇一一年三月一一日の東日本大震災の被災者のために、複数の建築家が中心となって完成させた集会所など。一六棟が建設され、一〇棟がいまも使用されている（二〇二二年二月時点）。

第8章

鶴岡真弓

（芸術文明史家・ケルト芸術文化研究家・多摩美術大学名誉教授）

「ケルトの渦巻き」は、うごめく生命そのもの

つるおか・まゆみ

1952年茨城県生まれ。多摩美術大学名誉教授。芸術文明史家、ケルト芸術文化&ユーロ=アジア生命デザイン史研究家。早稲田大学大学院修了。アイルランド、ダブリン大学留学。処女作『ケルト/装飾的思考』で第1回倫雅美術奨励賞、『ケルト再生の思想ーハロウィンからの生命循環』で河合隼雄学芸賞受賞。日本でのケルト芸術文化理解のけん引役となる。西はアイルランドからヨーロッパ諸国、中央アジア、東はシベリア、日本に至る造形表象/マテリアル・カルチャーの根源を踏査、現在に至る。主著に『装飾する魂』『鶴岡真弓対談集 ケルトの魂』『ジョイスとケルト世界』『ケルトの想像力』『図説ケルトの歴史』(共著)、『阿修羅のジュエリー』『すぐわかる ヨーロッパの装飾文様』(編著)、『装飾デザインを読みとく30のストーリー』『芸術人類学講義』(編)他、訳書にバーナード・ミーハン著『ケルズの書』など。映画『地球交響曲第一番』でアイルランドの歌姫エンヤと共演。

撮影:稲垣純也

十字架が内包する「動きへのリスペクト」

福岡　私は昆虫少年だったので、子どものころから自然のなかの色や形に興味をもっていたんです。例えば、チョウの羽には美しい文様がありますし、甲虫のなかには驚くほど斬新なフォルムをしたものがいます。それらに触れながら気づいたのは、巻き貝やチョウの口吻《こうふん》、羊の角のように、自然のなかには渦巻きのパターンがたくさん見られるということです。

　渦巻きの形はまた、私たち人間の生活のなかにもさまざまなデザインとして生かされています。なかでも、鶴岡さんが研究されているケルトの文化は、独特の「渦巻文様」をもつことで知られていますね。

鶴岡　はい、そのとおりです。ケルト文化は、いまから二七〇〇年ほど前に、ヨーロッパ大陸の現オーストリアの「塩の町」ハルシュタットに栄えた鉄器文化などで知られています。ケルト語を話す人々の文化は、ローマの勢力によって大陸からいったん追放されたかに見えましたが、生き残り、アイルランド、スコットランド、ウェールズやフランスのブルターニュ地方などに、その言語や神話とともに、独特の美術を伝えてきました。とくにその「文様《オーナメント》」は、とても装飾的で細密。なかでも「渦巻文様」は、その代表的な意匠です。福岡さんも『動的平衡2』のなかで、ケルトの装飾福音書写本『ダロウの書』（注1）に描かれた渦巻文様について触れられていますね。

福岡　ええ、あれは驚くべき渦巻文様だと思うんです。そのお話の前にうかがいたいんですが、以前、鶴岡さんと松任谷由実さんがアイルランドを旅するNHKのテレビ番組を拝見したんです。そのなかで、灯心草《ラッシュ》で編んだ十字架が紹介されていたのが非常に印象的でした。

鶴岡　アイルランドの「聖ブリギッドの十字架」ですね。この聖女は、古くからアイルランドで信じられていたケルトの地母神。光や火の女神で、その十字架は、よみがえる太陽光線を表しているといわれています。

福岡　普通の十字架は縦の線が横の線を二等分する座標軸のような形をしていますけど、テレビで見たその十字架は、上下左右から中央に集まる線がぶつかり合うポイントが少しずつずれていた。あのようにずれた中心に向けて四方から力がかかれば、その物体は手裏

『ダロウの書』
ダブリン大学トリニティ・カレッジ図書館蔵
提供:Bridgeman Images／アフロ

剣のようにクルクルと回らざるを得ません。それを見て思ったのは、あの十字架には回転の動きが内包されているということです。と同時に、そこには「動きへのリスペクト」のようなものが込められていると感じました。こうした要素が、ケルトの渦巻文様とも関係するのではないですか。

鶴岡　確かに。「動きへのリスペクト」という言葉は深いですね。おっしゃるように、ケルトの渦巻文様は、決して止まることのない螺旋《らせん》運動によって、生命的なものを表しています。日本にも三つの勾玉《まがたま》が回転するような「三《み》つ巴《どもえ》文様」が、家紋や神社の大太鼓の聖なる装飾などに見られますが、それもケルトをはじめユーロ＝アジア世界に起源をもつ、螺旋状の文様の仲間です。インドの卍《まんじ》文様（スワスティカ）もそうですが、ケルトの渦巻文様が「高速回転」するさまを見ていると、これは最も生命感にあふれている渦巻きの造形ではないかと思えます。

ちょうど福岡さんが顕微鏡で細胞をご覧になるように、私は学生時代からこのケルティック・スパイラルに衝撃を受け、魅《み》せられ続けてきたことになります。

人間は自然のなかに「意匠」を見た

福岡　鶴岡さんも、私と同じように、子どものころから渦巻く形に惹《ひ》かれていたのですか。

鶴岡　そうですね。私は水戸街道の利根川沿いの宿場町だった、取手《とりで》で生まれました。昔は大雨で川が氾濫《はんらん》することもあり、陸地が川底となり、蛇行する川が大海に変貌する水界が、原風景にあります。大袈裟《おおげさ》ではなく小学生のころから、「世界は変化のなかにしかない」と思えた。その後、一九歳でユーラシア大陸を旅して以来、さまざまな民族とその神話や文様と出合ってきましたけれど、「渦巻く形」への関心の原点は、千変万化する水界の体験にあったのだと思います。

福岡　最初に出合ったのは、水の渦だったということですね。レオナルド・ダ・ヴィンチも自然のなかに現れるさまざまな形に興味をもち、とくに水の流れがつくる渦巻きに特別な関心を寄せていましたよね。実際に、水の渦を描いた何枚もの素描が残っています。

鶴岡　そう、「大洪水」図ですね。フィレンツェのアルノ川の洪水を食い止めようともしました。

福岡　水の渦に限らず、渦巻き状のものは自然のなかにいくらでも見られます。先ほど挙げたものの他にも、植物のつる、ヘビのとぐろ、ヒマワリの種の配列……。

鶴岡　ヒマワリの花の中心の無数の種は、時計回りと反時計回りが組み合わされたような、螺旋状で並んでいますね。

福岡　そうした渦巻きができる原理は、意外とシンプルなんです。

鶴岡　ぜひ聞かせてください。

福岡　例えば貝は、生まれたときは小さなナメクジのような姿をしています。これを極小の時計の針と思っていただけますか。赤ちゃん貝は体からカルシウムを分泌し、少しずつ貝殻をつくりながら成長していきます。時計の針が回りながら動いた後に貝殻をつくりつつ、針自体も一定の速度で少しずつ長くなっていく。時計の針が伸びながら回ることによって、その先には美しい螺旋が描き出されます。

時計の針がどのくらいの速度で回転し、長くなるかによって、針と、針先が進む方向の間にできる角度が異なります。アンモナイトのような巻貝は、この角度を九五〜一〇〇度に保つことで、あのような見事なコルネ形になる。一方、アワビのような一枚貝は角度が一二〇度ほどですから、巻貝のようにコンパクトに巻けません。それでも形成の原理は同じで、やはり螺旋を描いています。

鶴岡　そういう仕組みになっているのですね。

福岡　ですから、渦巻きが表すのは生物の成長そのものであり、それ自体が生命の象徴なわけです。人間は貝よりはるかに遅れてこの地上に登場しましたけど、そのなかに、渦巻きのような自然の造形に目を留め、それを文様とした人々がいたのではないでしょうか。

例えば、南米にいるミイロタテハというチョウは赤や青をちりばめた美しい羽をもっていますが、羽の裏側を見るとインカ模様そっくりです。あるいは、チベット高原に生息するシボリアゲハというチョウの模様は、チベットの民族衣装のデザインに瓜二つ。さらに、アフリカの密林にはハナムグリという大きな甲虫の一種がいて、背中の白い模様は現地の人たちが顔に施す化粧に酷似しています。

もちろん、昆虫が人間のまねをしたわけではない。人間が自然を手本にアートやデザインを生み出してきたわけです。人間が大切にしてきた文様は、あらかじめ自然のなかに用意されていたともいえます。

鶴岡　それは、人間がかつて身の回りの生き物とより親しく向き合っていた時代があったことの証しでもありますね。そうした生き物のなかには、必ずしも美しい貝や華麗なチョウばかりではなく、ピラニアや毒虫のように危険な生き物もいた。

しかし人間は、ロジェ・カイヨワ（注2）が実感したように、どんな生き物の色や形にも、艶やかな生命の輝きを見出し、それを装飾文様に創り上げた。そしてその文様を、祝いの衣装などの装飾に託して子孫に伝えていくことで、人は、儚《はかな》い命の定めを乗り越えてきた。つまり装飾文様の意匠は、「生を飾りなさい、寿《ことほ》ぎなさい、悦びのなかに生きなさい」というメッセージを伝えてきたのだと思います。

人間は「誕生」と「葬送」において、最も美しい布や鮮やかな花で飾られます。人の生死はいつも装飾・文様に彩られてきたといえましょう。つまり人の行うデザイン、意匠とは、常に自然界から与えられたギフトであるということに深い意味がありますね。文様や装飾に目を凝らすと、私たちが自然の一部であるということのみならず、私たちの祖先が自然の生命をどのように象《かたど》ってきたかを教えられるのです。

『ダロウの書』の渦巻きは動的平衡だ

福岡　先ほどいわれた『ダロウの書』は、七世紀につくられたものですよね。

鶴岡　六八〇年ごろに、アイルランドのダロウ修道院で制作されたといわれています。子牛の皮紙にケルトの装飾文様を施したキリスト教の福音書写本で、その文様には、異教時代からのケルト美術の伝統が凝縮しています。福岡さんも旅されたように、ダブリンのトリニティ・カレッジ図書館に収められており、アイルランドの宝です。

福岡　『ダロウの書』には、全面が渦巻文様で埋め尽くされたページがあります。それも、ただの渦巻きではない。この文様が素晴らしいのは、一つの渦がもつ回転のエネルギーが、途切れることなく次の渦へと流れ込んでいくことですね。

鶴岡　渦巻きが一つで完結せず、必ず他の渦巻きへとつながっていくのですよね。そこでは、渦が外側に回り切ったとき、その力を、特別なつなぎの文様が、次々に渦から渦へとつないでいく。湾曲したトランペットを二つ合わせたような形をしているので、「トランペット・パターン」と呼ばれています。このパターンによって、一つの渦は、その求心力が極まった瞬間に、即座に遠心力へと反転させられ、次々に回転する力となって連続的変化がもたらされるのです。

福岡　そこで力が変換されている。生命にとっては、そういう変化が新しい動きをもたらすための情報になります。それまでになかったものが急に現れる、あるいは、あったものが急に消える。例えば、秋にキノコが出てくるのは、一日の寒暖の差が急に大きくなるという変化に驚いて笠を開くわけです。そうやって情報をやり取りしながら果てしない変化を続け、全体として命をつないでいるわけです。

渦から渦へ、物質、エネルギー、情報がどこまでもやり取りされていく。私には、この文様が、生命の動的平衡そのものを表しているように思えます。

鶴岡　まさにそうではないでしょうか。さらに、このケルトの渦巻文様は、どこまでも高速に回転率を上げていくと、なんと内回りと外回りの運動が「同時に起こる」という信じがたい現象をもたらします。この渦巻文様を最初に見たとき、右に巻くものが同時に左へも巻くという、ある種の超常現象が起きていると思いました。生物の世界でも、求心性と遠心性が同時に現れることがあるのではないですか。

福岡　そういう例はたくさんあります。例えば私たちの脳は、司令塔ではまったくない。知覚情報を絶えず求心的に集めつつ、それに応じて運動情報を遠心的に発信する渦巻き的交換台です。しかしやがて求心と遠心はほぼ同時的になされるようになる。その上に流麗なピアノや優美なダンス、精緻《せいち》な思考が成り立っています。

鶴岡　自然界で起こる奇跡のようなものが、キリスト教の福音書である『ダロウの書』のなかに封じ込められているとしたら、これは驚くべきことです。初期中世ケルトの人々は、神話『ダ・デルガの館の崩壊』に、「われわれは、生きているが死んでいる」という謎めいた言葉を残していますが、この渦巻文様には、それに似て計り知れない生命の「反転」力が、うごめいているように思えます。

生命をコントロールしないという倫理

福岡　いまのお話と関係しますが、ヨーロッパの古い文化の担い手であるケルトの人々が、これほど動的なものに強い親和性をもっていたにもかかわらず、キリスト教の普及と、その上に成り立つ近代科学の発達とともに、渦巻きのような生命的な意匠が重視されなくなっていきましたよね。そしてその代わりに、よりメカニカルな形やデザイン、歪みのない構造物が求められるようになった。これはなぜだと思われますか。

鶴岡　一つには、人間が生命をコントロールできると考えるようになったことが大きいですね。動的平衡で成り立つ世界というのは、荒ぶる生命の営みをあるがままに受け入れ、その変化や動きには、ブレーキをかけられないという生命観が、人類史にはありました。しかし近代以降、人はそれをあるがままにしておくことが、必ずしもよいとは考えなくなった。

例えば、ディズニー映画の『ファンタジア』というアニメの名作では、魔法使いの弟子になったミッキーマウスが、師匠の留守中にほうきに水汲みをさせて止められなくなり、洪水を起こしてしまうという話がありますね。結局この騒動は、技を使える、水を制御できる魔法使いによって収められます。二〇世紀アメリカの繁栄を担う人だったゆえに、ウォルト・ディズニーであってさえも、生命の自由な営みを描きながら、一方では人間は技法を学べばそれを自在にコントロールできると信じてもいたことでしょう。

それに対して、近代以前の人々は、まったく異なる考えを大切にしていた。彼らは人間が生命の活動を制御することはできないし、またしてはいけないという倫理を直観的にもっていたと思います。身近な例でいえば、日本人も戦前ぐらいまでは、ふぞろいな野菜、曲がったキュウリのようなものを捨てたりしませんでしたよね。それはそれで、旺盛な生命力の発露と受け止めた。

福岡　そういうキュウリの形状も、先ほどお話しした貝殻の螺旋と同じく、成長の表れですからね。そもそも、自然のなかにまったく同じ形のものは二つとないんです。ハチの巣も、決してきれいな六角形ではない。ハチは結構さぼりながら巣づくりをしていて、出来上がったものが多少歪んでいても、それを気に病むことはありません（笑）。この世界に一貫性や整合性を求めるのは人間だけで、生命がしていることは、常に自らを壊して新たにつくり替えることだけ。むしろそこに、生命が本来もつ自由の源泉もあるわけです。

だから、自然界には正方形や正六角形も存在しない。もっといえば、人間がどんなに精緻な道具を使っても、それらを正確に描くことはできません。そういう図形は、世界を完《かん》璧《ぺき》な原理によって統一したいと願う人間が生んだ幻想、まさにいま鶴岡さんがいわれた、近代人特有の「コントロールの思想」の産物ではないかと思います。

集団のなかで繰り返す「贈与」

鶴岡　正方形や正六角形のような図形が示すものとは対照的に、ケルトの渦巻きが表すのは、何かに対して、人間が「勝たない」思想をもつ重要性ではないかと思います。というのも、ケルト芸術の表現にはある種の「諦念」のようなものが感じられるのです。

福岡　諦念？

鶴岡　はい。ケルトを含むインド＝ヨーロッパ語族が、いまのカザフスタンあたりの中央ユーラシアや南ロシア、ウクライナに広がる草原地帯からヨーロッパに向けて移動を始めたのは紀元前数千年ごろのこと。その時代にはまだ、人間の平均寿命が十数歳にも満たない地域もありました。そしてこのインド＝ヨーロッパ語族のなかで、最も遠い西の果てに定着したのがケルト語を話す人々でした。彼らは、そのはるかな旅路を通して、自分たちが運命に打ち勝ったという実感を一度も、もしかしたらいまだにもったことがないのではないか。あの『ダロウの書』に描かれた渦巻文様には、「人類もまた、常にうごめく生命の旅の途上にいる」、つまり人間は「生命の流れに沿うていくものだ」という重要な認識が込められているように思えます。
つまり、ケルトの渦巻文様の魅力は、ユーラシアを長く旅し、島にたどり着いてからも困難がしばしばあった、この人々の、非常に厳しい歴史的背景の観念と関係があるのだと思います。それは生命の無限の動的平衡を表すものでありながら、同時に「メメント・モリ」（注3）の象徴ではないかとも思えますね。

福岡 死を思い起こさせるものだと。

鶴岡 「死を思え、死を忘れるな」と。生まれて間もなく人が死ぬような時代の記憶を、彼らはもち続けてきた。そして不思議なことに、自分たちが勝者とはならなかったゆえに、安定できなかったゆえに、逆に無限に反転して止《や》まない、極めて洗練された美を生み出せた。その一つが、あの渦巻文様だった。

福岡 なるほど。考えてみれば、完璧な正方形や正六角形が描けないのと同じように、人間には決してできないことがあるという諦念は、さまざまな文化圏で共有されていたはずですよね。それを、ケルトは文様に託したと。

鶴岡 さらにこの渦巻文様は、すなわち「再生」のイメージであり、シンボルでした。有名な中世の騎士道物語である『アーサー王伝説』は、ケルトの神話伝説の白眉です。アーサー王は「湖の乙女」からエクスカリバーという剣を渡され、活躍する。しかし最後には再び剣を湖に戻します。自然界から授けられて一度手にしたものを、王は元の場所に戻すことで、再生を期すという物語なのです。アーサー王伝説とは、単に人間が自分たちのために聖杯を探し出す物語ではないわけです。

福岡　大切なものを循環させていくわけですね。

鶴岡　そうですね。アイルランドには無限の食べ物を産ましめる再生の大釜によって、生命力を永遠に循環させるという神話も伝わっている。これも渦巻きの文様に通じる神話的テーマなのではないかと思います。

このことは、かつてケルトが鉄器文化をもっていたことと関係するかもしれません。金属は「炉」に戻して火で溶かすことによって、何度でも形を変えて生まれ変わることができます。エクスカリバーが返された「湖」は「炉」の暗喩ともいえます。ギフトされたものをさらに来たるべき未来へと贈与する。そこには、生命の奇跡、その貴さを知るからこそ、それを自然という生命の大きな流れのなかに戻す、そのことによって、未来に向けて何ごとも再生させていこうとする意志が見えます。

福岡　エントロピーの法則がこの世界を支配する限り、一つの生命体が永遠に生き続けることはできません。その意味で、生命現象から見れば、個体の死は最大の利他行為です。ある個体がいなくなるということは、住む場所や食べる物が別の個体にバトンタッチされ、新たな生命が育まれることを意味する。そこでは確かに、「溶かし直し」による再生が行われています。

鶴岡　そう考えると、近代人になくてケルトにあったものは、過去、現在、未来を通じ、集団として命をつなぐ意識かもしれませんね。私たち現代人は、つい個や孤の単位で、ものごとを考えてしまいますけど、かつて人は常に己が属している生命全体の一員として生き、互いに与え合うことで、少しでも多くの命を生かそうとした。

その意味で、ケルトの渦巻きは、「私」ではなく、「私たち」の間で無限に繰り返される贈与を表しているのかもしれません。

覇権を取らずに生き延びる

福岡　例えば日本の縄文土器にも、渦巻文様がたくさん見られます。これもまた、ケルトの渦巻きとつながっていると考えていいのでしょうか。

鶴岡　そう思います。ユーラシア規模の文明論においては明らかにそうですね。平均寿命が八〇歳を超えるいまの日本からは想像できませんけど、縄文時代にも、人は生まれてすぐに命を落とすことが多かった。ですから、そこにもやはり、自分の肉体が赤い血潮をたたえ、病にも侵されず、ちゃんと生きてここにあるという奇跡への感覚がまずあったと思います。縄文人も、その実感を「渦」として刻んだのではないでしょうか。

福岡　縄文といえば、縄文時代につくられた寺野東《てらのひがし》遺跡の環状盛土という記念物は、一〇〇〇年以上もの月日にわたって、少しずつ手を加えながら造営されていたそうです。縄文文化を研究されている考古学者の小林達雄さんによれば、そこでは、つくり上げることよりも、何十世代にもわたってひたすらつくり続けることに意味があった。「納期」とか「締め切り」とか、現代人は日々、「完成」というものに追われていますが、かつてはまったく異なる価値観があったんですね。

鶴岡　数百年前までは、人間は自然とともに、よりよく生きて、「成ったもの」ではなく、「成りつつあるもの」を見つめていたと思えますね。モンゴルからトルコへ広がったチュルク語系と呼ばれる人々がいます。この人たちの観念のなかには、ちょうど『ジャックと豆の木』のように、地上から果てしなく伸びるものが、天に到達し、天地をつないで繁茂する「通天」という思想がある。

ここで大事なのは到達して完結するのではなく、この地上から、何かが、どこまでも伸びていくこと。人は渦巻きだけでなく、垂直に天を貫くもののなかにも、無限の動的平衡を見ていたのかもしれません。

現代のアイルランド文化のなかで、そうした生命の営みを表すものに、アイリッシュ・ダンスがあります。アメリカでも移民の人たちが伝えていて、シカゴに「トリニティ」という有名なダンス・カンパニーがあります。そのステージでは三人のダンサーが『ダロウの書』の装飾に見られる「三つ巴文様」、ケルト語で「トリスケル」と呼ばれるパターンを繰り返し踊ります。まるで生命の不断の回転を確かめるように。

福岡　体を使って表現するわけですね。
鶴岡　こうした躍動するダンスは、終わることのない生命の営みを、私たちの目にはっきりと見えるようにしてくれます。
福岡　トリスケルの「トリ」は、数字の「三」の意味ですよね。イタリアにあるシチリア島のシンボルマークも、確か三本の脚を組み合わせた「トリナクリア」という巴文様だったと思いますが。
鶴岡　フランスのブルターニュ半島や、イギリスとアイルランドの間に浮かぶマン島のシンボルも、三つ巴です。
福岡　男と女、陰と陽、プラスとマイナスというように、要素が二つだと、どうしても二項対立の図式になりやすい。でも、軸が三本あると、安定したバランスが生まれます。三本の脚が付いたとき、初めてこの世界が支えられていく。三という数字は、回転を意味するものであると同時に、ある関係に社会性を与え、対立を避けるものでもあると思うんです。これもまた、一つの成熟、あるいは諦観から生まれた知恵かもしれません。
鶴岡　それにもう一つ、三という数には、二本脚で立った状態から、さらに一歩前へと踏み出す勇気、第三の可能性への希望も感じられるのではないでしょうか。

福岡　動きへの予感のような。

鶴岡　ええ。ケルトを西へ押しやった古代ローマは、しっかりと覇権を握って、二本脚で立ち安定してしまったからこそ崩壊したともいえます。でも、そういう状態から第三のステップを踏み出せれば、よろけながらでも前に進めます。覇権を握らずとも、生き延びられる。

福岡　古代から現代まで、二〇〇〇年以上の時を超えて続いてきたケルトの文化にも、そういう強さがあるということでしょうか。

鶴岡　ええ、そう思えます。先ほど、「渦が回り切ったとき、求心力が遠心力に反転する」といいましたように、存在が極まったときにこそ、最も強力なパワーが産み出される。

中世の人々が、『ダロウの書』のようなキリスト教の福音書写本を、古来の渦巻文様で飾ったことからも想像できるように、キリスト教がヨーロッパを席巻《せっけん》した後も、ケルト文化はオリジナリティを保ち、根強く生き延びてきました。その歩みには、まさに渦巻きやトリスケルが表すように、「決してこの回転を止めない」という強い意志が感じられるのです。

注1：【ダロウの書】現存するケルト系最古の福音書装飾写本。『リンディスファーン福音書』『ケルズの書』とともに、ケルト三大装飾写本の一つとされる。

注2：【ロジェ・カイヨワ】一九一三〜一九七八。フランスの文芸批評家、社会学者、哲学者。バタイユ、クロソフスキーらと「社会学研究会」を組織し、批評活動を行う。その関心は幅広く、文学、社会学、民俗学から、昆虫学、物理学、鉱物学まで多岐にわたる。著書に『人間と聖なるもの』『遊びと人間』『自然と美学』など。

注3：【メメント・モリ】ラテン語で「死を忘れるな」という意味の警句。

第9章

千住博

（日本画家・京都芸術大学教授）

「美しい」と感じるのは、生物にとって必要だから

せんじゅ·ひろし

1958年東京都生まれ。東京藝術大学大学院修了。2007年～13年3月まで京都造形芸術大学(現·京都芸術大学)学長を務める。1993年米国の美術誌「ギャラリーガイド」の表紙を飾る。95年ヴェネツィア·ビエンナーレ絵画部門にて名誉賞を東洋人として初めて受賞。97年より大徳寺聚光院の襖絵制作にとりかかり、2002年の伊東別院完成に引き続き、13年京都本院の襖絵すべてが完成、16年公開。07年フィラデルフィア松風荘襖絵完成。10年東京国際空港(羽田空港)拡張工事に伴い国際線ターミナルのアートディレクションを担当。またAPEC JAPAN 2010首脳会議の会場構成を担当。光州ビエンナーレ、成都ビエンナーレに出品。20年高野山金剛峯寺障屏画奉納。17年イサム·ノグチ賞受賞。21年第77回恩賜賞および日本芸術院賞受賞、紺綬褒章飾版と木杯受章。オペラや舞踊の舞台美術も精力的に手がけている。

撮影:栗原克己

美的感覚は「本能」である

福岡　千住さんは滝をテーマにした絵をたくさん描かれていますけど、青い色にはどういう絵の具を使っているんですか。

千住　群青《ぐんじょう》の岩絵の具です。フェルメールやミケランジェロが使った青と同じく、天然の石を削り出してつくったものです。私は、基本的に天然の絵の具しか使わない。というのも、宇宙から流れついた天然の絵の具に美を感じるからです。今日は福岡さんと「美」についてお話ができるということで楽しみにしてきました。

福岡　千住さんにはこの対談の前に、私が監修を務めた『フェルメール 光の王国展』で、最新の印刷技術を使ったフェルメールのリ・クリエイト作品を見ていただいたんですよね。ご覧になりながら、「フェルメールは、色というものが時間とともに劣化してしまうことを知っていた。だから、比較的時間の試練に耐えられる鉱物由来の青を使うことで、後世の人々に何かを伝えようとした」といわれたのを聞いて、そのとおりだと思いました。

千住　芸術というのは、よく考えられているように「自己表現」ではないんですね。もしも「俺が、俺が」という自己表現なら、出来上がった作品は本人にしかわからないものになってしまう。そうではなく、芸術とは「世界表現」なんです。これは科学者も同じではないかと思いますけれど、自分を取り巻く世界のありようをなんとかしてつかみ取りたいのです。

福岡　ええ、そのとおりです。

千住　フェルメールも、絵筆を使って、ある永遠を描こうとしたんじゃないでしょうか。その手段として青を使い、あの独特の光の表現を生み出したんだと思います。

福岡　なるほど。それにしても、青というのは不思議な色ですよね。私は昆虫少年だったので、最初に発見した青は、ルリボシカミキリという虫の背中にきゅっと凝縮した、目の醒めるような青でした。あるいはツユクサの花びらの青。空も海も青いけれど、じつは自然のなかに、色として切り取ってこられる青はほとんどない。だからこそ、こういう限局的な青に強く惹《ひ》かれるんです。

千住　そのご指摘はとても刺激的ですね。私も、青は他の色とは異なる、特別な色だと思います。レオナルド・ダ・ヴィンチは、「すべての遠景は青に近づく」といいました。

ダ・ヴィンチは大気を通して見るとすべてのものは青く見えると考え、自分が絵を描くとき、遠くにあるものほど青い絵の具を混ぜて描いた。それによって、空間に果てしない奥行きを生み出したわけです。

人間にとって最も身近な青は何かというと、空の青や森の緑ですよね。人がなぜそれらを美しく感じるのかといえば、曇り空ばかりの長い氷河期に青い空の下や緑の森のなかに行けば生き延びることができるから。つまり、美を感じる心とは、生き延びるための知恵、もっといえば生きる本能そのものだと思うんです。しかもこれは人間に限らない。私の祖父は福岡さんと同じ生物学者だったんですが、単細胞であれ、多細胞であれ、「生物が何を行動の規範にしているのかは、わかるようでわからない」といっていました。

福岡　ええ、私もそう思います。

千住　私は、その規範とは美ではないかと思うんです。クジャクのオスが羽を精一杯広げて見せるのは、メスに対して「こんなに健康で、生命力にあふれた俺の卵を産んでくれ」といっているわけですよね。これは生きるための切実なメッセージです。メスもそこに美を感じるから、この求愛を受け入れる。昆虫が美しい花に引き寄せられるのも同じで、生物は、皆、美しいほう、美しいほうへと動いていきます。

そう考えれば、美的感覚はすべての生命体に備わった感性、生存を支える本能だと思える。青という色には、こうした生物の秘密が端的に表れているのではないでしょうか。

青は生と死を分ける「境界の色」

福岡　青く見えるものには、水もありますよね。では、なぜ水は青く見えるのか。光のスペクトルを虹の弧を例にとって見てみましょう。いちばん外側は赤、そこから橙《だいだい》、黄、緑、青と並んで、いちばん内側は紫色をしています。内側の光ほど波長が短く、エネルギーも強い。青は紫の外側にあるエネルギーの強い光なので、厚い水や空気を通して遠くまで到達します。
生物はその強い光を感じることで、水の在《あ》り処《か》を察知してきた。言い換えれば、そういう光から受ける感覚が「青さ」なわけです。
千住　青がエネルギーの強い色だというのが面白いですね。美の基準には、強さという要素もあると思うんです。人間も、強いもの、大きいものに美しさを感じます。強いアスリートは美しいし、大きく伸び伸びした演技は人を惹きつける。現代アートの作家にも、それを意識して、ギャラリーに人が入れないほど大きな作品をつくる人がいます。

福岡　青についてもう一ついうと、紫色の光のさらに内側は紫外線で、人間の目には見えません。紫外線はエネルギーが強すぎて、生物に害を及ぼす光です。だから、青は生存に必要な色であると同時に、それ以上踏み出すと危険な色、生と死を分ける境界の色でもある。いま都会の夜にはＬＥＤの青い光があふれていますけど、あの色も見方によってはなんとなく霊界を思わせる、冷たい印象がありますよね。青にはそういう二面性があるんです。

千住　魅惑的だけど、危険な色。青は紙一重の色ということですね。

福岡　さらにいえば、青とともに光の三原色である赤と緑は、一見、とても遠い色に見えます。でも、波長を見ると、この二つはかなり近い。色覚異常の人が、しばしばこの二色を区別できないのもそのためです。例えば血液が赤いのはヘモグロビンのなかのヘムという色素のせいであり、植物が緑色に見えるのは葉に含まれた葉緑素（クロロフィル）という色素によります。ヘムには鉄が、クロロフィルにはマグネシウムが含まれているために色が異なって見えますが、この二つの分子構造は瓜二つ。ヘモグロビンは動物の血液のなかで酸素を運び、クロロフィルは植物の光合成をつかさどる。どちらも生存と深く関わる物質で、生物はそうした外的刺激を色として認識することで生き延びてきました。

ですから、生物が生きる術《すべ》として色を感じてきたという千住さんのご意見に、私は一〇〇パーセント同意します。

「美」とは五感で感じるもの

千住　いま視覚のお話がありましたけど、本来、美とは五感すべてを通して感じるものですよね。例えば味も、「美味しい」と書くことからわかるように、一つの美といえます。その美は、蕎麦《そば》なら蕎麦を食べるとき、舌の味蕾《みらい》を使うだけでなく、麺の歯ごたえ、つゆの香り、スルスルという音を通して味わうように、五感全体で感じるものです。

ソフィ・カルという現代フランスの写真家に、全盲の人にとって「美とは何か」を問いかけた『盲目の人々』という作品があるんです。そこに現れる美は、香り、音、触覚、あるいは記憶であったりする。それを観ていると、美がいかに豊かなものかがわかります。

絵画をはじめとしたビジュアル・アートは、それら目に見えないものを見えるようにしてきた。印象派の巨匠モネが描いた睡蓮の庭を見ていると、日向の温かさ、日陰のひんやりした感じ、さわさわとこすれる木の葉の音や気配までが伝わってきます。もちろん、フェルメールの絵からも。

福岡　はい。

千住　その意味で、私は、いま人間にとっての美が視覚に偏りすぎていることに危険を感じるんです。パソコンのなかには視覚情報はあっても、匂いや手触りはない。五感を通して美を感じる感性が薄らぐことは、生きる感性が薄らぐことです。これは、生命の尊さに鈍感になるという意味でも、怖いことだと思うんです。

福岡　そうですね。人間は確かに、圧倒的に視覚優位の世界像をもっています。でも、その視覚でさえ、光のスペクトル全体でいえば、ほんの一部を捉えているに過ぎない。まるで壺のなかから小さな穴を通して世界を覗《のぞ》いているようなものです。

千住　人間以外の生物は、視覚に限らず、さまざまな感覚を使って情報をやり取りし、世界を理解しているんじゃないですか。

福岡　そのとおりです。そもそも人間が自分を取り巻く世界だと思っているものは、人間の五感で捉えた世界像でしかないんですね。ユクスキュル（注1）というドイツの生物学者は、これを一言で「環境」と呼ぶのはおかしい、すべての生物はそれぞれの知覚で独自の世界を捉えているのだから、それぞれの「環世界」と呼ぼうといいました。

千住　よくわかりますね、その考え方は。

福岡　例えば、昆虫の「環世界」は、圧倒的に嗅覚優位です。彼らがメスを探したり、花の蜜を求めてさまようときは、空気中に広がる匂い、具体的には揮発性の成分の濃度勾配をたどって近づいていきます。あるいは、爬虫類《はちゅうるい》にとってこの世界は白黒の濃淡でできていて、彼らはそのなかで動くものしか見えません。「動き」が、彼らにとってほぼ唯一の視覚情報ですから、ガラスケースのなかのトカゲを振り向かせようと思ったら、トカゲから見えるところでパッと何かを動かせばいい。

千住　動くものが情報だということは、やはり視覚優位ということでしょうか。

福岡　動きとは必ずしも目に見えるものだけではなく、急に何かが匂う、匂いが消えるといった刺激の増減も動きであり、情報なんです。私たちも、何かがふっと匂えば気づく。

でも、同じ匂いを嗅ぎ続けていると感じなくなります。触覚も同じで、急に触れられればわかりますが、ずっと触れられていると無感覚になる。これは、変化しない刺激は、情報としてはキャンセルされるから。反応するのは、あくまで動きに対してです。

私たち人間は、情報というとついインターネットのアーカイブのような固定したものを想像してしまいますけど、それぞれの生物は自分たちの知覚を通してそうした変化を感じ取り、その刺激によって行動し、独自の世界をつくり出している。生物にとっての情報とは、常に変化し、揺らいでいるものなんです。

一回限りの「プロセス」をつかみ取る

千住　絵画は、それ自体、動かない。けれど、モネの睡蓮の絵のように、温度の差や光のうつろい、音や気配、湿度や匂いを目に見えるようにすることで成り立っています。これらはすべて「動き」ですよね。むしろ、絵のなかで動きを止めることによって、かえって違和感から動きが強調されることもある。

福岡　おっしゃるとおり、絵画は動きを表すために、時間を止めていますよね。フェルメールの『牛乳を注ぐ女』や『真珠の耳飾りの少女』も、ちょうど写真家がそうするように、ある決定的な瞬間を切り取っている。そこには、その瞬間に至る時間と、そこから出発する時間とが一瞬のうちに捉えられています。

フェルメールが自分の「部屋」を見つけたように、千住さんは「滝」を発見されたと思うんですが、滝とはまさに、常に水が流動する動的な存在ですよね。滝を描くにあたっては、やはり動きを絵のなかに捉えたいという思いがあったんでしょうか。

千住　それはもちろん、ありました。動的なものとは、つまり、プロセスですよね。滝は上から下へと水が流れ落ちる、いわばプロセスそのものです。あるとき、私は滝の動きを見て非常に感動したんです。それは、人類がなぜ芸術を生み出したのか、その起源にまで遡《さかのぼ》るような本能的な感動だった。そして、なんとかこの動きのプロセスをつかみ取りたい、描きたいと思ったんです。

そもそも芸術とは、プロセスの積み重ねで成り立つものです。音楽や小説などがよい例ですが、じつは絵もそうで、私たちは画家がどのようにその絵を描いていったのか、どのようにその物語を組み立てていったのか、そのプロセスを追体験します。セザンヌがどう

ウォーターフォール
1994年
130.3 × 194.0cm
ⓒ千住博

やって構図をどんどん変えていったのか、とかゴッホやピカソが、ときに対象を愛し、ときに憎みながらどうやって絵の具を塗り重ねたか、あるいはフェルメールが、どれほどの執拗な探究の果てにあの克明な世界を完成させたのか。その過程に心を奪われ、それを観ることで自分もまた生きていることを実感する。それが芸術だと思うんです。

福岡　そして、プロセスというのは、芸術に限らず、すべて一回限りのものですよね。

千住　そのとおりです。

福岡　あらゆる過程は一度しか起きない。人の一生、個体の生も一度きりだし、地球四六億年の歴史を振り返っても、すべての出来事は一度しか起きていない。

千住　それを看破したのが、一期一会という言葉じゃないでしょうか。こうして福岡さんとお話しするのもただ一度。私たちはこれまでに何度もお会いしたし、これからもお会いするでしょう。でも、互いの人生において、今日のこの時間は一度しかない。すべてのプロセスが一度きりだと知れば、与えられた時間を慈《いつく》しむことができます。その一瞬に人生のプロセスすべてを凝縮させる発想です。そこにこそ、人生の豊かさがあると思います。

動くものと止まるもの

千住　豊かさも、美的感覚と深く関わる概念ですね。「美」という文字は、「羊」が「大きい」と書きます。羊は、肉を食べることも、毛をまとうこともでき、一緒にいて心を和ませもする。人間は旧約聖書の時代から羊を飼い始め、羊という生き物に豊かさを見たんじゃないでしょうか。そして、それが大きいことこそ、生きていく理想、すなわち美しさだと考えた。

翻って、いま私たちは本当の豊かさを手にしているだろうか、と思います。人はバーチャルな世界を前に、生きる実感を失いつつある。ゲームのなかで簡単にいやな相手を殺せるような世界が若い人たちにとってリアルな世界になっているとしたら、大変恐ろしいことです。

福岡　インターネット社会のもう一つの問題は、情報がいつまでも残って消えないということですよね。この世界は、ある生命をかたちづくった分子が、やがて散らばり、また別の生命の一部となるという動的平衡の状態にあります。すべてのものはその場限りに存在し、流転していく。ところが、電子情報は、誹謗《ひぼう》中傷も含めて残り続ける。棘《とげ》がいつまでも刺さり続けるわけです。そこに、いまの社会が陥っている自縄自縛の一因があると思います。

千住　ただ、現実の世界にも、消えずに残り続けるものがありますよね。例えばカリフォルニアの砂漠には、ハリウッド映画で使った大道具の自由の女神がたくさん埋めてあるといいます。発泡スチロールですから、これはかなり残るんじゃないですか。将来、巨大発泡スチロール文明発掘とかいわれたりしてね。

福岡　そういうものも、何万年という非常に長い期間で見れば、やはり酸化し、風化して、酸化物に戻ります。

千住　なるほど。人類がつくったものでいちばん強く、最も長く残り続けるのは石の文明ということでしょうか。

私は近代以降、人間が科学を過信してきたことにも問題があると思うんです。おそらくはそのことが、東日本大震災での原発事故のような悲劇を招いてしまった。私たちが最も「強い科学」と信じていた原発のようなものがじつはいちばん脆《もろ》く、せいぜい六〇年の寿命しかない。しかも、ひとたび事故を起こせば、その処理に膨大な時間がかかる。一方、震災のときに人を助けたのは、ろうそくやかがり火のような、原子力に比べればはるかに「弱い科学」でした。そういう事実の前で、われわれは、強さ・弱さの概念も見直すべきではないかと思うんです。

福岡　人間にとって「等身大の科学」とは何かについて、考え直す必要がありますよね。いま生物にとっては動きが情報だといいましたけど、人間は、動きに反応することはできても、動き続けているものを記述することはできない。だから、科学は、生きているものを殺し、それを止まった情報にすることで対象を理解しようとしてきたわけです。

そうした動かない情報の最たるものが、文字だと思います。私たちが安心して文字を読めるのは、それがそこに止まっていてくれるから。記憶が流転しても、「あの本にこんな話があった」と探し出せるのは、書物が静止しているからです。等身大の科学とは、そういう人間本来の感覚にフィットするものだと思いますが、千住さんがいわれたように、いまはそういう感覚自体、失いつつあるのかもしれません。

「何が美しいか」に生きるヒントがある

千住　私は新幹線に乗ると、iPhoneの動画機能を使ってよく窓の外を撮影するんです。そこに映る映像は、一つの驚きです。何もかもがたちまちにして飛び去り、じっくり眺めている余裕はない。富士山があっても、富士山は見えない。こういう世界のなかで、人が生きる喜びを感じられるとは思えません。

人間も、自分の足で歩いていたころは、自分の「環世界」を等身大で捉えられていましたよね。道端に咲いた花もよく見えていた。ところが、馬で移動し始めたときから、風景を見失いました。馬が車になり、新幹線やジェット機になって、人は自分の周囲の情報を五感で捉えることができなくなった。書物を読んだり、道を歩くペースは、私たちの体に合ったものです。そのペースを手放したときから、文明が暴走を始めたように思うんです。

福岡　千住さんは、現代社会の見直しを進めることを目的とした「新生会議」という会合の副議長をされていましたよね。

千住　ええ、細川護熙《もりひろ》元首相をはじめ、江崎玲於奈さんや浅田彰さんといった錚々《そうそう》たる方々が集まって三・一一後のライフスタイルを考える試みで、福岡さんにもご参加いただいていたんですよね。これまでの過剰なエネルギー利用を改め、夜は暗い、夏は暑い、冬は寒いという世界で工夫して生きる、人間本来の豊かさを取り戻すことを目指したものです。

これは本で読んだのですが、人間はこれまでどんな寒さや飢えも耐えて生き延び、ここまで発展してきた。人間にとって最大の敵はむしろ食べ過ぎで、そのためにいまは糖尿病のような病気が爆発的に増えてしまったと。

福岡　人間は進化の過程を通していつも飢餓状態にあったので、「不足」に備えるメカニズムは発達した一方、「過剰」に対してはまったく無防備なんですね。それが、最近になって急に飽食になったために、いろいろな弊害が出ています。

千住　現代文明も、まさに過食による糖尿病状態になっているといえないでしょうか。その元凶の一つが原子力発電ですよね。新生会議でも、反原発ではなく、脱原発を謳《うた》いました。私自身は日本のような地震や火山の巣の上の立地では、これだけ痛い目にあったのだからもう原発を稼働させるべきではないと思いますが、しかし、問題は原子力そのものにあるのではなく、ここから先どうやって新しい社会をつくるかにあると思うんです。

福岡　そうですね。原発のような問題を考えるとき、私は判断基準が三つあると思うんです。一つは、「それが科学的に正しいか」という真偽の基準、二つ目は「それをなすべきか」という善悪の基準。科学はすべてのことの真偽を見分けられるわけではないし、善悪の判断は人によって異なります。

そしてもう一つ、美醜の基準がある。例えば私は、原子力発電も、遺伝子組み換え食品も、美しいとは思いません。社会的な均質化圧力がどんなに「これは真だ」「これは善だ」と迫っても、この感覚は侵すことができない。こういう基準を人それぞれがもてることが、本当の自由ではないでしょうか。そしてこの感覚は、最初のお話にあったように、生物が危険を避け、生き延びる力と深く関わっていると思うんです。

千住　本当の豊かさを実現するために、私たちは自分が美しいと思える生き方を選び取るべきですよね。そのとき、何がヒントになるか。じつは芸術もまた、その時代が抱える問題に対して無言のメッセージを発し続けています。

例えば旧石器時代のものといわれるアルタミラ洞窟の壁画は、すべて天井に描かれています。これは星座であり、また宇宙に対する答えのない問いかけです。あるいは、時代は下って日本の戦国時代、ひと続きの襖絵《ふすまえ》のなかに四季を描いた狩野永徳の『四季花鳥図』には、春夏秋冬ほど価値観が異なるもの同士でもハーモニーを奏でられるというメッセージが込められています。戦いに明け暮れる時代にこうした絵を描くことは、平和創造の知恵でもあったと思うんです。それと同時に、四季のようにめまぐるしく主役の変わる戦国時代の無常観の表出でもあったのでしょう。

芸術はその時代ごとに人の心を調律してくれるものですが、現代人にとって大事なことは、われわれの祖先が、自然の恩恵と恐ろしさの両方に向き合いながら、どのように生きてきたかを知ることではないでしょうか。伊藤若冲《いとうじゃくちゅう》のように極端なくらい集中して自然を描く日本画家が世界的に評価されている事実も、現代が抱える問題と無関係ではないはずです。いま私たちが美しいと感じるものには、これから私たちが生きていくためのヒントや必要とする提言が隠されているのです。

滝はケオティック・オーダー、生命そのものだ

福岡　ところで、いままで世界を回られてきた千住さんが、いちばん好きなのはどの滝ですか。

千住　それはもう、南米にあるイグアスの滝ですね。細い滝がたくさん集まってできていて、見たときは、これまで描いた滝のすべてがそこにあると思いました。最初にあの滝に出合っていれば、苦労して世界を回る必要はなかった（笑）。

福岡　そうですか（笑）。じつは私には憧れの滝があるんです。地中海にそそぐ滝ですが、いまはもう見られない。かつて地中海は、海抜より低い広大な盆地でした。いまから数百万年前、地殻変動によってジブラルタル海峡が開き、大西洋の海水が相当な高さからその盆地へと流れ込んだ。盆地が満たされるまでの間、そこには巨大な滝が存在した——その滝が見てみたいなと。

千住　これは座布団十枚ですね（笑）。地球の歴史のなかで、ある一時期だけ存在した、恐ろしく巨大な滝、というのが感動的ですね。

福岡　でも、先ほどお話ししたように、この滝に限らず、滝は皆一回限りのものですよね。ある平衡状態を保ちながら、同じ水は二度と流れない。動いていながら、秩序がある。

千住　そう、それも単なる秩序ではない。同時にそこには混沌があります。

滝は、天上的な存在でありながら、猛烈なエネルギーと荒れ狂う濁流をもつ暴力的、地獄的な存在でもある。強い光であると同時に、死を思わせる深い闇でもある。つまり、両極を併せ持つケオティック・オーダー（混沌とした秩序）なんです。ケオティック・オーダーとは、生命体そのものじゃないですか。人はそこに美を感じる。なぜなら、私たち自身がケオティック・オーダーだから。

福岡　そうですね。生命は常に秩序を保ちながら、たえまなく失われるものでもある。だからこそ、私たちはそれを見つめたいと願うのかもしれません。失われつつ再生するもの。ある命が消えると、その空白を別の命が受け継いで、新しい秩序が生まれます。そうして互いに譲り合いながらうつろう生命の姿に、人は美しさを感じるのかもしれません。

千住　花を見て美しいと感じるのは、それが散るから。美は、やがて朽ちるから美だともいえますね。一方、縄文杉のような大樹は、何千年の時を枯れることなく生きている。植物は強く、たくましい永遠の命をもっています。私たちは生命の儚《はかな》さとともに、その強さに美を感じてきたし、これからも感じていくでしょう。美はわれわれの生きる本能ですから。

注1：【ユクスキュル】ヤーコプ・フォン・ユクスキュル。一八六四〜一九四四。ドイツの生物学者、哲学者。それぞれの生物が知覚し、作用する世界を「環境」と区別する「環世界」論を提唱した。著書に『生物から見た世界』（共著）など。

対談を終えて

顕微鏡で細胞を観察するためにはふつう何段階もの前処理をしなくてはならない。生物をかたちづくる細胞群は何層にも積み重なって複雑な構造をとっているため、そのままでは顕微鏡にのせることができないし、厚みのために光が通らない。そこで非常に薄い切片というものにそぎ切りする。水をたっぷり含んだ臓器や組織を薄く切り出すためには、包《ほう》埋《まい》という操作が必要となる。すなわち、細胞に含まれる水を少しずつ追い出し、その代わりに特殊な蠟《ろう》に細胞を封じ込めてしまうのである。こうすることで細胞はその形と細部を保ったまま固くなり、極めて薄い、数ミクロンの切片として切り出すことができる。それを顕微鏡の試料台にのせてレンズを覗《のぞ》くと、明るい視野に見事な微細構造を保った細胞の姿を観察することができるようになる。

私たち科学者は、そこにミトコンドリアとかゴルジ体とか細胞核、あるいは細胞膜といった存在を認めてきた。しかし……じつは、細胞に宿っていた生命はすでにそこにはない。そこにあるのは生命の抜け殻でしかない。私たちが科学の名の下にひたすら続けてきたことは、生命の痕跡に対して、後から単に名づけを行ってきたという営為に過ぎない。

この世界に現れる何か素晴らしいことを書き留めるためには、その何かの動きを止めなければならない。何かの命を封じなければならない。そうしないことには私たちはその対象物をじっと見つめることができないのである。人間は、動いているものを動いているままに追い続けること、記述することができない。これはある意味で近代の科学がずっと行ってきたことであり、近代の思考がいつも陥ってきた陥穽《かんせい》でもあった。

しかし、本当に大切なことは、私たちが知ろうとする対象物の本来の実相は、むしろ、私たちが止めてしまった動きのほうにあるのではないか。動きのなかに本質があるのではないか。そのような怖れと反省が、生物学を研究してきた私のまわりにいつも現れては消えていった。

今回、いろいろな人たちと語り合ってみると、このような怖れと反省が、ひとり生物学――生命のありようを記述しようとする営み――だけにあるわけではなく、あらゆる分野で、それぞれの方法のなかで、同じ問題が考えぬかれ、取り組まれ、何とか超克しようと努力され続けてきたことを、改めて知ることができた。知ることができた上で、大いに勇気づけられた。問題は私一人だけのものではなく、戦いもまた私一人の小さな蟷螂《とうろう》の斧ではないのだと。

例えば物語を物語るということは、必ずしも起承転結のストーリーテリングを構築するということではなく、記憶のうつろいや揺らぎを丁寧に跡づけることでもあると。あるいは、建築物を建築するということは、設計図にある構造体を施工完成するというだけではなく、それをかたちづくるプロセスのなかに、あるいはそこに棲《す》みはじめた後、時間の関数として変容する場のあり方を考えることであると。固いはずの壁や柱ですら、可変的で交換可能な流れる粒として考えることもでき得ること。あるいは、生命の連鎖やそのエネルギーは必ず受け渡され、引き継がれる、その動きのなかにこそ意味があり、信仰や畏敬の対象として形を与え続けて来た文化の流れがあったこと。つまり動的平衡の思想は常に文化史のなかで、再生され、再発見され続けたものであること。動いているもの、動き出そうとするもの、うつろい続けるもの、流れ続けるものを、いかにして書き留めるか、いかにして形として捉えるか。それは必ずしも、文字を使ってだけでなく、あらゆる表現方法で、動きを記述しようとする意思そのものが芸術の営為になりうること。そういったことごとをいちいち再確認し、共感し、共鳴することができた。そういう対話の連続だった。

同時に、今後さらに考えていかねばならないこともおのずと明らかになったと思える。この世界が動的平衡で満たされていること。それはもう論をまたない。では、いったいこの動的平衡のあざなえる網目はいかにしてつくり出されてきたのか。動的平衡はどのような構造と力によって維持されているのか。平衡はどこまで攪乱《かくらん》や反作用を緩衝し、平衡であり得るのか。そして最大の問題は動的平衡の原理である。要素が与えられたとき、個々の要素は互いにごく近傍のことしか認識できないし、相互作用もローカルなものにとどまるにもかかわらず、その連なりからなぜ全体としては統一のとれた平衡状態が出現できるのか。一粒ひと粒の細胞は決して体全体を俯瞰《ふかん》することができないにもかかわらず、全体の地図がその内部に折りたたまれているようなあり方。個は全を知り、全は個の集積以上のものとなる。それが動的平衡の特性である。その原理と場のあり方を考えること。これが今後の課題であることも対談を通して再確認できた。そのためのヒントも多々いただけた気がする。

私たちはここでいったん散開し、またそれぞれのフィールドで活動を続けていくことになるわけだが、またどこかで道が交差するときがあるに違いない。そんな確信がある。最後になったが、対談に応じていただいた方々に対して、心から感謝する次第である。

May the force be with us.

二〇一三年一二月　ニューヨークにて

福岡伸一

新書化に寄せて

二〇一八年の暮、私は調査と取材のためロンドンを訪問していた。大英博物館に行き、南方熊楠に関する資料を閲覧した。ひと仕事を終えて博物館を後にして裏通りを散策した。このあたりには場所柄、古本屋、骨董屋、岩石や化石などを売る店が多い。いずれも私が好きなものばかり。ショーウインドウを眺めながら歩いていると、黒いロングコートに身を包んだひとりの紳士とすれちがった。あれ？　いまの人はひょっとして……。振り返って後ろ姿を見る。間違いない。私はすぐに彼を追いかけて声をかけた。

「あのー、すみません。ワタシです。シンイチ・フクオカです」。呼び止められた彼はびっくりしたように立ち止まってこちらを見た。「おお、なぜあなたはロンドンにいるのですか?」「ちょっと研究調査に来ています」。彼はちゃんと私のことを憶えていてくれていた。「あのときの対談はとても楽しかったですね」とまでいってくれた。当然ながらすべて英語である。そう、それは誰あろうカズオ・イシグロその人なのだった。私はいった。

「このたびは本当におめでとうございます！」「ありがとう」。

本書の底本にあたる『動的平衡ダイアローグ』（二〇一四年 木楽舎）は、主に二〇一一年から一三年にかけて行われた複数の方々との対話の記録である。今回、新たに小泉今日子さんとの特別対談を収録、「新版」という形で新書化する運びとなった。小泉さんの発言、「過去や未来がぱあーっときれいに並んで横にあって、私が一歩歩くと、過去や未来もみんな一歩ぴょーんって歩くみたいな」というのはじつに鮮やかな時間論になっている。記憶は常にたったいま、想起するたびにつくり直されているという最新の生物学の知見を見事に言い当てている。カズオ・イシグロに聞かせたいくらいだ。

さて、底本が刊行されてからかなりの時間が経過した。この間に起きたことで、とりわけ大きなニュースになったのは、そのカズオ・イシグロが、二〇一七年、ノーベル文学賞を受賞したことである。すでにイシグロは英国籍を取得していたが、日本のメディアは、日本出身者が受賞したとしてお祭り騒ぎになった。ノーベル賞委員会が発表した授賞理由は「壮大な感情の力を持った小説を通し、世界と結びついているという、我々の幻想的感覚に隠された深淵を暴いた」というもの。さすがに抽象的すぎてちょっと意味がわかりにくい。

　そんなこともあってか、受賞が発表された夜、いくつもの新聞社から私のところに取材電話が来た。本書で対談していることを知ったからだろう。私は、カズオ・イシグロの小説の一貫したテーマは「記憶」であることを話した。すべてのものが流転する動的平衡の世界にあって、自己を支えるものとして記憶があり、一方で、自己を欺くものとしても記憶がある。さらに、イシグロが、受賞の少し前に刊行した長編『忘れられた巨人』は、ファンタジーの形をとりながら集団における記憶について考えた物語になっている。社会において忘れてはならない記憶というものがある。そのような問題意識が、作家に世界性をもたらし、それが受賞につながったのだと思う。そんな談話を語った。

　しかしメディアは、もっと個人的な思い出話のようなものはないのか、と聞いてきた。そこで（サービス精神旺盛な）私は、この『動的平衡ダイアローグ』の対談でイシグロと会ったとき、一緒に食べた寿司の話をした。私たちはそれぞれ桶に盛られた握り寿司セットをいただいたのだが、イシグロはこっちのネタをあっちに移したり、すし飯を半分に割ったりして、まるでちらし寿司のように作り変えて食べ始めた。それを見て私は、ああ、イシグロはもう日本人ではないのだなあ、と思った……という逸話を提供した（ちなみにイシグロとの会話は最初から最後まで英語だけで行われた）。

翌日、新聞を開くと、あんなに苦労して話したはずの「記憶」のテーマについてはほとんど触れられておらず、寿司の話がクローズアップされていた。

イシグロの最新作『クララとお日さま』は、人工知能（ＡＩ）と人間の交流をめぐる物語である。カズオ・イシグロの小説から目を離すことはできない。

対談させていただいた他の皆さんも、それぞれの道を着実に進まれている。

平野啓一郎は、対談で話した分人主義を展開しつつ、『マチネの終わりに』『ある男』『本心』などの大作・話題作を次々に発表、一方で、三島由紀夫を論じ、日本を代表する作家のひとりとして活躍している。二〇二〇年からは、芥川賞選考委員になった。賞をもらう立場から賞を与える立場に回転した。彼とは、ＦＭ放送局、Ｊ－ＷＡＶＥの番組審議会というところでも定期的に議論の場を共有しており、鋭い発言に感心している。

佐藤勝彦は引き続き科学界のリーダーとして日本の学術振興のあり方を牽引している。二〇一四年には、文化功労者に選ばれた。ビッグバンの直前、宇宙はその創成期において指数関数的に急激に膨張した、とする佐藤の「インフレーション理論」は画期的な論考である。その意味で、二〇二〇年、ロジャー・ペンローズ、ラインハルト・ゲンツェル、アンドレア・ゲズが、宇宙論・ブラックホール論でノーベル賞に輝いた際、宇宙創成に関する業績が対象になれば、インフレーション理論も受賞の可能性が十分にある、と感じた。

玄侑宗久は、いまもなお無常の意味を説く、いうなれば現代の鴨長明《かものちょうめい》とでもいうべき存在である。無常、すなわち常なるものは無い、というのは動的平衡の理《ことわり》のもっとも直接的な帰結であり、日本人の古層にある感性でもある。彼の最新作『むすんでひらいて』は、死生観や人生観について仏教の華厳経に依拠しつつ論じた好著。むすぶ、という言葉からはすぐに『方丈記』の「よどみにうかぶうたかたは、かつ消え、かつ結びて」という一節が思い起こされる。最近、彼と本書とは別の形で対談したのだが、消える（分解）を結ぶ

（合成）よりも先に置いている方丈記の慧眼《けいがん》について改めて驚かされたことを話した。動的平衡においても、つくることよりも壊すことの方が先回りして行われるからである。

ジャレド・ダイアモンドとは、この対談以降、お会いするチャンスはなかったが、『危機と人類（上・下）』という大著を刊行するなど精力的な執筆を続けている。彼いわく、最もエネルギッシュに本が書けたのは六〇代、七〇代という。この言葉は私に元気を与えてくれる。

隈研吾とは定期的に会話を交わしている。ザハ・ハディドの二〇二〇東京オリンピックメインスタジアム（国立競技場）の設計案が白紙に戻った後、コンペを勝ち抜いて設計者の栄冠を得た。丹下健三の一九六四オリンピックスタジアムに感動して建築家を目指した青年は、半世紀後、自らが同じ立場となったことにいかなる感慨を抱いたことだろう。

鶴岡真弓は、ケルトの芸術文化に表象される生命の流れを引き続き考究してとどまることがない。『ケルト 再生の思想―ハロウィンからの生命循環』『ケルトの想像力』『装飾デザインを読みとく30のストーリー』などの著書を刊行している。今回も、新書化にあたって丁寧に原稿を読み直してくださった。

千住博はニューヨークベースで創作活動を行っている関係で、私が、同市にあるロックフェラー大学の客員教授となってからはしばしば現地で交流を重ねている。〝滝〟は、ニューヨークの日本領事館にも飾られているし、飛行機で羽田空港に戻ればそこでも出迎えてくれる。美の起源は、生命にとってそれが必要なものだったから、という彼の言葉を忘れることができない。

二〇二四年三月

福岡伸一

対談の初出は以下の媒体です。
『Ｆｏｌｅ』（みずほ総合研究所発行）二〇一二年一月号、二月号、六月号、一〇月号、一一月号、一二月号
『文藝春秋』二〇一三年四月号
ＥＴＶ特集「カズオ・イシグロをさがして」（ＮＨＫ Ｅテレ二〇一一年四月一七日放送）
小泉今日子氏との対談は、新書化にあたって行われたもので、本書が初出になります。

福岡伸一［ふくおか・しんいち］

1959年、東京都生まれ。京都大学卒業後、ハーバード大学医学部博士研究員、京都大学助教授などを経て、青山学院大学教授・ロックフェラー大学客員教授。研究に取り組む一方、「生命とは何か」について解説した書籍や、フェルメールについての解説書、エッセイなどさまざまなジャンルの著作を発表している。主な著書に『生物と無生物のあいだ』（講談社現代新書）や、『福岡伸一、西田哲学を読む』（共著、小学館新書）、『生命海流　GALAPAGOS』（朝日出版社）、『新ドリトル先生物語　ドリトル先生ガラパゴスを救う』（朝日新聞出版）など。近著に『森羅万象』（扶桑社）がある。

編集：園田健也、実沢真由美
校閲：玄冬書林、井田齊（クマノミ）

新版　動的平衡ダイアローグ
9人の先駆者と織りなす「知の対話集」

二〇二四年　四月六日　初版第一刷発行

著者　福岡伸一
発行人　石川和男
発行所　株式会社小学館
〒一〇一－八〇〇一　東京都千代田区一ツ橋二ノ三ノ一
電話　編集：〇三－三二三〇－五一一二
販売：〇三－五二八一－三五五五

印刷・製本　中央精版印刷株式会社

Printed in Japan ISBN978-4-09-825468-2